LE MUSÉE D'ORSAY

Le Musée d'Orsay

Ministère de la Culture et de la Communication
Editions de la Réunion des musées nationaux
Paris 1986

Introduction

Un nouveau musée s'ouvre à Paris, en face du Louvre, le musée d'Orsay.

Pourquoi un musée de plus, dans une ville qui en compte déjà tant? Qu'y verra-t-on? Quel parti d'aménagement a-t-on choisi? Tâchons de répondre brièvement à ces questions et par là même d'esquisser ce que fut le programme du musée, tout en guidant le visiteur au long de son parcours.

Quiconque a visité, au cours de ces dernières années, le musée du Jeu de Paume a pu constater l'exiguïté du lieu. Idéal lorsqu'il fut ouvert en 1947 pour montrer les peintures impressionnistes du Louvre, dans la clarté du jardin des Tuileries, le musée devait, trente ans plus tard, prouver ses insuffisances. Incapable de présenter dignement les collections, qui s'étaient entre-temps considérablement enrichies par des dons et des achats, il ne pouvait plus accueillir sans risques le public de plus en plus nombreux qu'aimante l'universelle attraction de l'impressionnisme. L'agrandissement du musée s'imposait d'autant plus que le transfert en 1977 du musée national d'Art moderne, de son ancien siège (le Palais de Tokyo) au nouveau (le Centre Georges-Pompidou), donnait l'occasion d'un nouvel et massif enrichissement des collections. Les peintures post-impressionnistes (école de Pont-Aven, néo-impressionnisme) et un grand nombre d'œuvres françaises et étrangères de la fin du XIXᵉ siècle, relevant généralement du naturalisme et du symbolisme et appartenant au musée national d'Art moderne (héritier lui-même de l'ancien musée du Luxembourg), étaient en effet dévolues au Louvre. On suivait en cela l'habitude régulière des reversements périodiques, d'un musée à l'autre, des peintures, des sculptures, des dessins que l'histoire, le moment venu, ne permet plus de rattacher à l'«art moderne». Présentées provisoirement au Palais de Tokyo (à partir de 1978) sous l'étiquette du post-impressionnisme, ces œuvres étaient évidemment appelées à rejoindre un jour les toiles impressionnistes: Signac et Cross devaient retrouver Seurat, comme Emile Bernard et Sérusier leur ami Gauguin.

Agrandir le Jeu de Paume aurait-il suffi pour absorber sur place un tel accroissement des collections? Certainement pas, si l'on tient compte d'un fait nouveau correspondant à l'un de ces phénomènes de résurgence dont l'histoire de l'art et l'histoire du goût se nourrissent: la redécouverte d'un nouveau XIXᵉ siècle, beaucoup moins linéaire et sommaire que ne le dessinaient les critiques de naguère, excessivement manichéens. Depuis la mémorable exposition des «Sources du XIXᵉ siècle» (Paris, 1960) qui replaçait définitivement l'«Art Nouveau» parmi les grands mouvements qui, l'un après l'autre, ont bouleversé et fécondé l'art occidental, que de résurrections: celles des symbolismes, de l'architecture industrielle et de l'architecture «Beaux-Arts», de l'éclectisme du Second Empire, de la photographie, de la sculpture, si longtemps méconnue ou raillée, de telle ou telle école de peinture européenne ou américaine un temps éclipsée, hors de ses frontières nationales, par le soleil parisien et désormais heureusement décolonisée!

Que ce nouvel équilibre des valeurs demeure, dans plus d'un cas, discutable ou inachevé; qu'il allume, comme toute flambée de mode, l'enthousiasme équivoque du snobisme et de la spéculation; autrement dit que tous ces jeunes ressuscités ne soient pas nécessairement des génies scandaleusement oubliés, comment le nier? Reste qu'à coup de livres, d'articles et d'expositions stimulants et convaincants, une nouvelle vision de l'art du XIXᵉ siècle s'élabore depuis vingt ans, vision qu'un Jeu de Paume amélioré n'aurait en aucun cas pu développer.

Pour un tel déploiement, il fallait de la place, beaucoup de place. C'est ce que pouvait offrir, en face du Louvre et des Tuileries, un immense bâtiment quasiment désaffecté, la gare d'Orsay.

Dès 1973, sous le gouvernement de Georges Pompidou, répondant aux vœux de la Direction des Musées de France, était envisagée l'implantation dans la gare d'Orsay d'un musée où tous les arts de la seconde moitié du XIXᵉ siècle seraient confrontés. Menacée de démolition, — on aurait construit à sa place un gigantesque hôtel —, la gare, dont l'activité ferroviaire s'était réduite à un trafic de trains de banlieue, était ainsi sauvée. L'édifice, longtemps jugé comme l'un des monstres du mauvais goût «fin de siècle», bénéficiait du renouveau d'intérêt pour le XIXᵉ siècle, chance historique dont les Halles de Baltard, détruites en 1973, n'avaient pu profiter. Le projet était définitivement pris en compte et soutenu par M. Giscard d'Estaing, et un établissement public était créé en 1978 pour mener à bien l'opération, dont M. Mitterrand confirmait l'importance en 1981. Ainsi, trois présidents de la République avaient garanti la continuité d'une entreprise difficile et nécessaire, la création d'un musée nouveau.

Nouveau, le musée l'est par son programme, ce qu'on peut appeler le *contenu*, les collections, ce qu'il montre à voir. Il l'est aussi par le *contenant*, l'adaptation qu'il propose d'un bâtiment ancien (une gare, doublée d'un hôtel) à un nouvel usage (un musée pluridisciplinaire).

Disons d'abord quelques mots du *contenu*; musée national, le musée d'Orsay conserve les collections de l'Etat illustrant l'art de la seconde moitié du XIXᵉ siècle et des premières années du XXᵉ siècle. Il s'inscrit donc entre le musée du Louvre, conservatoire des collections nationales antérieures à 1850, et le musée national d'Art moderne, chargé des œuvres postérieures aux années 1905-1910 (c'est-à-dire, avec quelques exceptions, des artistes nés après 1870).

Ouvrons ici une parenthèse pour indiquer que le choix de ces dates- frontières, — 1848-1850 d'un côté, 1905-1910 de l'autre —, ne s'est pas fait sans réflexions ni discussions. Après avoir étudié d'autres possibilités pour la date liminaire, — plus tôt, en remontant vers la période romantique, mais alors il fallait un musée encore plus vaste; plus tard, vers 1863-65, mais alors la date n'était marquante que pour la seule peinture française —, on a jugé que finalement le milieu du siècle correspondait bien à un changement sur tous les plans, et pas seulement politique et social: l'émergence de Courbet et de Millet aux Salons en 1849 et 1850, la fondation de la *Préraphaelite Brotherhood* en 1848, l'érection du Crystal Palace de Paxton (1850-51) et du Nouveau Louvre (à partir de 1852), en sont parmi bien d'autres les signes, comme l'est, l'a-t-on assez dit, à l'autre bout de la chaîne, la fracture des *Demoiselles d'Avignon* de Picasso (1907).

Couvrant une période particulièrement dense

et féconde, le musée a l'ambition d'en évoquer toute la diversité en illustrant non seulement la création artistique dans les champs de la peinture, de la sculpture, des arts décoratifs et des arts graphiques (dessin, estampe, photographie), mais aussi des autres arts visuels : l'architecture et l'urbanisme, le cinéma — né à la fin du siècle —, et les autres moyens de diffusion de l'image, tels l'affiche, la presse et le livre illustré. En outre, de petites expositions présentant des «dossiers» thématiques, des films, divers moyens audiovisuels, permettront dans le musée même de suggérer les liens, les correspondances qui existent entre les arts visuels et les autres expressions artistiques du temps (la littérature, la musique, présente d'ailleurs directement grâce à des concerts réguliers), ainsi que de replacer l'ensemble de ces évocations dans un cadre historique.

Interdisciplinaire donc, et différent à ce titre de ceux du Louvre et des salles permanentes du musée national d'Art moderne, le programme du musée d'Orsay est, on le voit, fort ambitieux. Pour le mettre en œuvre, c'est-à-dire pour que tous les modes de création et toutes les techniques artistiques de la période soient présentés, le fonds initial (les peintures, les sculptures et les très rares objets d'art des collections nationales dispersés entre le Louvre, le Jeu de Paume et le Palais de Tokyo) ne suffisait évidemment pas. On a donc profité de l'aide d'autres musées ou administrations (Versailles, Fontainebleau, Compiègne, le musée des Arts décoratifs, le Mobilier national, la Manufacture de Sèvres) qui ont consenti le dépôt de pièces importantes. On a fait revenir, en offrant d'autres œuvres en compen-

sation, des peintures, des sculptures appartenant à l'Etat et naguère envoyées dans tel ou tel musée de province. On a surtout mené une véritable politique d'acquisitions, en bénéficiant de la générosité de nombreux donateurs, parmi lesquels la jeune Société des Amis du Musée, et de l'attribution d'œuvres majeures offertes en dation (paiement des droits de succession) ; enfin, en pratiquant d'actives campagnes d'achats, rendues possibles par des crédits spéciaux. Il s'agissait, bien sûr, de combler, lorsque c'était encore possible, des lacunes voyantes dans les fonds existants, mais aussi de constituer des collections entières. Tel fut le cas pour les objets d'art et le mobilier, l'architecture et la photographie. En revanche, au lieu de créer un fonds nouveau de gravures et d'imprimés, on décida de faire régulièrement appel pour représenter les diverses techniques de l'estampe (y compris l'affiche et le livre illustré) au conservatoire national qu'est la Bibliothèque Nationale pour ces formes d'art ; les dessins (à l'exception des pastels et des dessins d'architecture regroupés au musée d'Orsay) demeurant conservés au tout proche Cabinet des Dessins du Louvre et disponibles pour des accrochages renouvelés.

Est-ce à dire qu'au moment de son ouverture, le musée offrira un panorama vraiment complet sur l'art de la seconde moitié du XIXe siècle ? Certes pas. De grands artistes, surtout parmi les étrangers, manquent encore à l'appel. Des mouvements, des écoles, des techniques ne sont pas représentés, ou le sont insuffisamment. Du moins a-t-on tenté de rendre compte aussi largement que possible du foisonnement créateur et des fructueuses contradictions qui caractérisent la période, et cela, soulignons-le, sans chercher d'artificiels équilibres. Les opportunités du marché, les prédilections d'un amateur, la générosité d'une famille ont fait que tel ou tel artiste figure au musée avec plus d'éclat qu'un autre d'égal mérite. Tant mieux. Un musée ne saurait fournir comme un livre encyclopédique une leçon impersonnelle et strictement objective; il ne peut que refléter les goûts, c'est-à-dire les choix — et aussi les refus ou les oublis — des amateurs, des collectionneurs, des conservateurs qui ont, au fil des générations, composé ses collections.

Gageons que l'avenir saura compléter, retoucher, discuter l'image du XIXᵉ siècle que donne aujourd'hui le musée d'Orsay.

Parlons maintenant du bâtiment destiné à présenter les collections, du *contenant*: la gare et l'hôtel d'Orsay construits par Laloux à l'emplacement de l'ancienne Cour des Comptes incendiée en 1871. Bâti en moins de deux ans, l'édifice était inauguré le 14 juillet 1900, en pleine exposition universelle. Parfaitement fonctionnel, il accueillait de plain-pied sous ses voûtes monumentales l'animation des guichets, des salles d'attente, des dépôts de bagages, tandis que les trains circulaient en sous-sol. Les 400 chambres et les salles de réception d'un hôtel de luxe enserraient la gare sur deux côtés. Cachant pompeusement les structures métalliques, les façades en pierre de taille tentaient de rivaliser avec celles des autres palais des bords de Seine.

Plier ce mastodonte ferroviaire à sa nouvelle fonction; insérer dans ce volume les espaces nécessaires à la présentation permanente des œuvres et aux expositions temporaires, à l'accueil, aux réserves, aux ateliers et aux services divers; assurer le meilleur éclairage pour les diverses catégories d'œuvres et des circulations convenables pour le public; et, faisant tout cela, préserver l'identité du bâtiment de Laloux. Tel était l'enjeu.

La réponse fournie par les architectes lauréats du concours (1979), l'équipe A.C.T. (R. Bardon, P. Colboc, J.P. Philippon), rejoints en 1980 par l'architecte italienne Gae Aulenti, lauréate d'une seconde consultation pour l'architecture intérieure et l'aménagement muséographique, est franche. La nef reçoit une nouvelle architecture, dégageant largement la voûte et fournissant, de part et d'autre d'un cours axial (dans le sens des anciennes voies ferrées), des salles de musée, surmontées de terrasses. Salles et terrasses communiquent elles-mêmes avec des pièces ménagées sur deux niveaux dans la suite des vestibules qui longent la nef et donnent sur la Seine. Au sommet du bâtiment, dans les combles de la gare et de l'hôtel, de spacieuses galeries jouissent de l'éclairage naturel zénithal. Les salles de réception fort décorées du premier étage s'intègrent dans le circuit du musée, le restaurant de l'hôtel devenant celui du musée.

Ainsi se déploient trois niveaux principaux de visite, reliés entre eux par des escaliers intermédiaires et des batteries d'escaliers mécaniques aux deux extrémités du musée.

Le parti architectural très franc, nous l'avons dit, consiste à refuser tout pastiche et même tout «raccord» stylistique entre l'édifice ancien et les nouvelles constructions du musée. Les piliers et poutres de fonte de Laloux (y compris pour les parties autrefois invisibles de la gare, dans les combles et les pavillons), ses décors de stuc sont respectés, restaurés, dégagés. Les structures nouvelles, si fortes qu'elles soient dans leur parement de pierre et leur géométrie métallique, laissent partout sensible la présence de l'édifice premier.

Unifiée par les matériaux et la couleur des revêtements (pierre de Bourgogne, peinture claire des cloisons, métaux brun foncé ou bleu, etc.), l'architecture intérieure ménage une succession de salles nettement diversifiées, chaque fois conçues en fonction de la présentation des œuvres et donnant lieu à de multiples solutions architecturales.

Un tel parti épouse organiquement le programme muséographique dont nous avons dit la densité et la complexité. Pour éviter la surcharge, comme la confusion, on a choisi de segmenter et de diversifier le parcours. Il importait d'abord de séparer clairement les zones didactiques (expositions-dossiers, zones de consultation, spectacles audiovisuels) de celles consacrées aux seules œuvres d'art, qui exigent calme visuel et silence. Il fallait aussi tenir compte des distinctions le plus souvent nécessaires entre les divers modes d'expression et les différentes techniques, en se gardant des mélanges complaisants, visant à restituer artificiellement, et contre toute vérité historique, des «ambiances» d'époque. On devait enfin rendre sensibles, par l'articulation du parcours, les tensions, les antagonismes entre tendances esthétiques opposées : d'où par exemple le parti adopté de présenter en deux zones distantes, d'une part le développement de l'impressionnisme (après 1870) et du post-impressionnisme et de l'autre, les courants

picturaux contemporains, naguère aveuglément confondus dans un même dédain sous le terme de «pompiers».

La présentation des collections se déroule donc sur les trois niveaux du parcours en une suite de «séquences» nettement différenciées les unes des autres par leur contenu et par le cadre architectural mis en place pour chacune d'elles.

Après une ouverture historique (des films et une présentation d'objets éclairant par quelques «flashes» l'histoire et la société de la seconde moitié du XIXe siècle), le premier niveau est consacré à la période 1848-1875. De part et d'autre du cours, dévolu à la grande sculpture de Rude à Carpeaux, deux longues séquences parallèles ; d'un côté le réalisme jusqu'au début de l'impressionnisme, de l'autre l'héritage du romantisme (Delacroix) et du néo-classicisme (Ingres) qui engendre éclectisme et symbolisme. L'éclectisme domine les salles des arts décoratifs et triomphe dans la salle de l'Opéra, qui honore à la fois l'œuvre de Garnier et les spectacles qui s'y donnaient. Au même niveau, des espaces sont destinés à des accrochages renouvelés de dessins, de gravures et de photographies, ainsi qu'à des «expositions-dossiers» thématiques liées à la période 1848-1875.

Pour atteindre le deuxième niveau du parcours, au sommet du bâtiment, on peut emprunter directement les escaliers mécaniques installés au fond du cours, ou visiter de bas en haut les diverses salles du Pavillon amont, vouées, à travers présentations permanentes et temporaires, à l'architecture et à l'urbanisme.

Le deuxième niveau du parcours voit se dérouler la plus longue séquence du musée, celle de l'impressionnisme après 1870 et des diverses réactions qu'il suscita (néo-impressionnisme, école de Pont-Aven, Nabis). On y trouve également un café et une zone de consultation audiovisuelle, ainsi que des salles d'expositions pour les arts graphiques.

La descente vers le troisième niveau de visite, au premier étage, est ponctuée par des zones d'expositions-dossiers (sur la presse, l'affiche, le livre illustré) et de consultation sur l'histoire (la «Galerie des Dates»).

La troisième et dernière étape de la visite se passe d'abord dans les anciens salons de réception de l'hôtel, où sont illustrés l'art et les grands décors officiels de la Troisième République. On retrouve ensuite les vastes espaces de la nef. Les terrasses surplombant le cours présentent la sculpture du dernier tiers du siècle, dominée par Rodin, jusqu'au début du XXe siècle (Maillol, Bourdelle). Le premier groupe de salles ouvrant sur les terrasses offre divers aspects du natura-

lisme, du symbolisme et de l'art académique fin de siècle. Vient ensuite la grande séquence de l'Art Nouveau (France et Belgique), qui se poursuit à l'intérieur des deux tours érigées au fond du cours et dans les salles suivantes avec les architectes et *designers* de Glasgow, Vienne et Chicago. Après une suite d'espaces permettant d'organiser les «expositions-dossiers» pour la période 1870-1910, une dernière série de salles de peinture est consacrée, d'une part, au développement de l'art des anciens Nabis (Bonnard, Vuillard, Denis) après 1900, d'autre part, en ouverture sur l'art du XXe siècle, à la situation autour des années 1904-1906 (Matisse, les Fauves). La visite se termine avec une dernière séquence, — le mot, cette fois, convient — sur la naissance du cinématographe.

Michel Laclotte
Inspecteur général des musées

Ont participé à la rédaction de cet ouvrage: Valérie Bajou, Marc Bascou, Françoise Cachin, Anne Distel, Claire Frèches, Chantal Martinet, Françoise Heilbrun, Geneviève Lacambre, Ségolène Le Men, Antoinette Le Normand Romain, Henri Loyrette, Philippe Néagu, Jean-Michel Nectoux, Sylvie Patin, Anne Pingeot, Nicole Savy, Philippe Thiébaut, Georges Vigne.

1

2

Sculpture :
les derniers romantiques

Si le romantisme s'est manifesté en peinture dès les années 1820, il a fallu attendre dix ans de plus pour voir apparaître les premières sculptures romantiques.

Inspirées de Dante, Shakespeare ou Chateaubriand, et non plus de l'histoire antique, elles se veulent une reproduction fidèle de la nature mais cherchent avant toute chose l'expressivité : Préault (1809-1879), par exemple, n'hésite donc pas à outrer les formes, les proportions, le modelé. «Criez plus fort», répétait Rude à sa femme qui posait pour le *Génie de la Patrie*, immédiatement qualifié de «mégère en furie»! Vivement attaqués par la critique académique, ces artistes se virent peu à peu exclus des Salons pendant la Monarchie de Juillet : sans commandes, sans possibilité de se faire connaître autrement que par l'édition ou la presse, ils couraient donc le risque de disparaître. En effet, si, dès 1847, Rude (1784-1855) avait réalisé pour le capitaine Noisot un monument symbolisant la foi et l'attachement à son empereur qu'avait gardés cet ancien commandant des grenadiers de l'Ile d'Elbe, il fallut attendre le Second Empire pour que l'Etat joue enfin son rôle de commanditaire : Napoléon III fit l'acquisition des médaillons de *Dante* et *Virgile* par Préault en 1853, et quoique Carpeaux (1827-1875) ait encore subi des avanies à la Villa Médicis pour l'*Ugolin* qui incarnait aux yeux de l'Institut, gardien de la tradition classique, tout ce qu'il exécrait, la fonte du *Roland furieux* de Duseigneur (1808-1866) fut commandée en 1867, celle de l'*Ophélie* de Préault en 1876. Les plâtres dataient respectivement de 1831 et 1842 !

«Je ne suis pas pour le fini, je suis pour l'infini», inscrivit Préault sur le médaillon de Delacroix aujourd'hui au Louvre : il définissait ainsi un esprit qui devait trouver son aboutissement dans le symbolisme avec Rodin, tant apprécié des poètes contemporains, notait Camille Mauclair, «parce que du plus fini des arts il fait émaner l'infini».

1. F. Rude : Napoléon s'éveillant à l'immortalité, *1846.*
Plâtre. Acquis en 1891.
Le bronze se trouve à Fixin (Côte-d'Or).
2. A. Préault : Ophélie.
Plâtre exécuté en 1842.
Acquis et fondu en bronze en 1876.

5

4

5

Peinture: Ingres, Delacroix, Chassériau après 1850

Au début du Second Empire, deux aînés, aux conceptions artistiques opposées, dominaient la scène artistique: Ingres (1780-1867) et Delacroix (1798-1863). Le premier, tenant de l'art classique, Prix de Rome en 1801, était membre de l'Institut depuis 1825; le second, figure majeure du romantisme, dût attendre 1857 pour y être finalement admis. Tous deux cependant furent les seuls peintres désignés comme membres de la commission impériale chargée de l'Exposition universelle de Paris en 1855. A cette occasion, et pour la première fois, une exposition rétrospective internationale fut organisée, dans le Palais des Beaux-Arts, construit spécialement avenue Montaigne. Dans ce vaste musée provisoire de l'art depuis le début du siècle, Ingres et Delacroix présentaient l'essentiel de leur œuvre. *La Source* d'Ingres reprise d'une étude ancienne, ne devait être achevée qu'en 1856 et exposée par l'artiste dans son atelier, avant d'être présentée, chez son propriétaire, le comte Duchâtel, dans une pièce à part «entourée de grandes plantes et de fleurs aquatiques pour que la nymphe de la source ait encore plus l'air d'une personne réelle». «Eve adolescente», venue d'une «antiquité incalculable» pour certains, «académie (vieux style)... exécutée par un merveilleux érudit», selon Gustave Moreau, *La Source* est le plus célèbre exemple de ce goût pour la peinture lisse que pratiquaient, non seulement les élèves d'Ingres comme Hippolyte Flandrin (1809-1864) ou Amaury-Duval (1808-1885), mais aussi ceux de Picot (1786-1868), comme Léon Bénouville (1821-1859), ou de Gleyre (1806-1874), comme Gérôme (1824-1904). Celui-ci avait peint, à vingt-deux ans, un tableau à sujet antique de fantaisie qui le fit remarquer au Salon de 1847 et qui devint célèbre sous le titre *Un combat de coqs*.

Totalement opposée est la technique de Delacroix, tant admirée par Baudelaire qui y voit «une véritable explosion de couleurs». Plus encore qu'à la grande composition de la *Chasse aux lions*, commandée pour le musée de Bordeaux et exposée en 1855, ces mots du poète s'appliquent à la

3. *G.J. Thomas:* Virgile, *1859-61.*
Marbre.
Commandé en 1859, entré en 1874.
4. *E. Guillaume:* Le faucheur, *1849-55.*
Bronze.
Acquis en 1855.
5. *J. Cavelier:* Cornélie, mère des Gracques, *1861*
Marbre.
Acquis en 1861.

6. *J.A.D. Ingres :* La source. *Commencé à Florence vers 1820, achevé à Paris en 1856 avec l'aide de Paul Balze et Alexandre Desgoffe. Legs de la comtesse Duchâtel, 1878.*
7. *E. Delacroix :* La chasse aux lions, *1854. Esquisse pour le tableau commandé pour le musée de Bordeaux et présenté à l'Exposition universelle de 1855 à Paris. Acquis en 1984.*

7

8

9   10

grande esquisse fougueuse du musée d'Orsay, à propos de laquelle Delacroix notait dans son *Journal* le 3 mai 1854 : «Le matin, dans un beau feu, repris l'esquisse du combat de lions». Exposée à toutes les rétrospectives Delacroix, dès l'exposition posthume de 1864, cette esquisse n'a pu manquer d'avoir une influence sur Manet ou Renoir, Signac ou Matisse.

De son vivant, Delacroix avait quelques admirateurs parmi les artistes, comme Théodore Chassériau (1819-1856), d'abord élève d'Ingres. Portraitiste, peintre de déesses ou de nymphes, de scènes bibliques et orientales, décorateur d'églises ou d'édifices publics, Chassériau, pendant sa brève carrière — il meurt à 37 ans en 1856 —, a souvent attiré l'attention de la critique et du public, car il semblait réconcilier «les deux écoles rivales du dessin et de la couleur». Le *Tepidarium* est, à ce point de vue, un des succès du Salon de 1853 : dans un cadre soigneusement inspiré de l'antiquité pompéienne il sait donner vie à cette foule féminine dont la langueur évoque l'exotisme des harems de Delacroix. En traitant les figures en format demi-nature, il s'éloigne de la tradition monumentale de la peinture d'histoire. Le *Tepidarium* est ainsi un des premiers exemples de la peinture de genre dominante sous le Second Empire.

Rappelons enfin que si le parcours du musée d'Orsay commence par un hommage à Ingres et Delacroix, à travers quelques-unes de leurs peintures tardives et par l'évocation de leur descendance artistique, l'essentiel de leur œuvre — n'oublions pas qu'ils sont tous deux nés au XVIII⁰ siècle — demeure exposé au Louvre comme celle de leur contemporain Corot, également présent dans le musée d'Orsay.

8. Th. Chassériau : Tépidarium : salle où les femmes de Pompéi venaient se reposer et se sécher en sortant du bain. *Salon de 1853. Acquis en 1853. 9. Amaury-Duval :* Madame de Loynes *(1837-1908), 1862. Legs Jules Lemaitre, 1914. 10. J.L. Gérôme :* Jeunes grecs faisant battre des coqs dit aussi *Un combat de coqs, 1846. Salon de 1847. Acquis en 1873.*

Sculpture : l'éclectisme

11

La révolution industrielle qui accompagna le Second Empire renouvela la société. Les fortunes changèrent de mains. La bourgeoisie, arrivée aux affaires, créa son décor. Ayant besoin de s'affirmer, elle chercha des références dans les styles du passé. C'était aussi la mode ; le XIXᵉ fut le siècle de l'histoire. Les artistes, à la suite des littérateurs voulurent posséder les civilisations antérieures et s'en servir à leur guise ; ces preuves de culture et de bon goût étaient appréciées des commanditaires.

Les bronzes hellénistiques de Pompéï et le *Mercure* de Jean de Bologne furent les modèles de Falguière (1831-1900), et de Moulin (1832-1884) pour leurs figures d'adolescents agiles exposées au Salon de 1864. On appela ce groupe, auquel il faut joindre Dubois, Mercié, *Les Florentins*, tant leurs emprunts devaient à la Toscane. Paul Dubois (1829-1905) dessina beaucoup d'après Benozzo Gozzoli. Son *Chanteur florentin* obtint la médaille d'or au Salon de 1865. La princesse Mathilde, cousine de l'empereur, disputa à Nieuwerkerke, le surintendant des

15

16

17

Beaux-Arts, la priorité de la première fonte, qu'elle obtint.
Des réductions propagèrent cette image, soit en bronze
(Barbedienne), soit en biscuit (Manufacture de Sèvres).
Mercié (1845-1916), encore pensionnaire de la Villa Médicis à Rome, reçut la Légion d'honneur pour son envoi de
deuxième année, un *David* remettant son épée au fourreau
qui dessine une ample arabesque et développe l'anatomie
déliée du héros.

   Carrier-Belleuse (1824-1887) emprunta aussi à l'Antiquité pour composer avec *Hébé et l'aigle,* le plus beau relief
de sa carrière. Quant à la *Comédie humaine* de Christophe
(1827-1892), elle inspira à Baudelaire le chant XXI des
Fleurs du mal (1857).

   L'attrait pour la géographie accompagna celui de l'histoire. Charles Cordier (1827-1905) obtint des bourses de
voyage. Le goût de la polychromie accompagne les époques
riches et Cordier sut exploiter les carrières d'onyx d'Algérie
nouvellement ouvertes.

Peinture : l'éclectisme

L'immense composition de Thomas Couture (1815-
1879), commandée en 1846 et exposée au Salon de 1847, les
Romains de la décadence, illustre un extrait de la sixième
satire de Juvénal : «Plus cruel que la guerre, le vice s'est
abattu sur Rome et venge l'univers vaincu». L'artiste puise
aussi ses modèles formels dans le passé et fait référence à
Tiepolo, Rubens, Poussin et surtout Véronèse. Pourtant on
ne manqua pas de remarquer qu'il n'hésite pas à représenter les attitudes triviales des personnages.

Plus idéaliste est l'art de ceux qui suivent sans faille
l'enseignement de l'Ecole des Beaux-Arts couronné, pour
les lauréats du Prix de Rome, par un séjour en Italie comme
Cabanel (1823-1889) en 1845, Bouguereau (1825-1905) et
Baudry (1826-1886) en 1850, Delaunay (1821-1891) en 1856
ou Regnault (1843-1871) en 1866. C'était la garantie d'une

17. Ch. Cordier : Nègre du
Soudan, *1857.*
Bronze et onyx.
Acquis en 1857.
18. Th. Couture : Romains
de la décadence.
Salon de 1847.
Acquis en 1847.

brillante carrière. Ainsi, en 1863, Alexandre Cabanel, déjà médaillé au Salon, entre à l'Institut, devient professeur à l'Ecole des Beaux-Arts et obtient un immense succès au Salon avec la *Naissance de Vénus*, immédiatement acquise par Napoléon III pour sa collection personnelle.

Quant à son élève Henri Regnault, il passe seulement deux années en Italie, puis se rend en Espagne et c'est de Tanger qu'il adresse, comme envoi de quatrième année — les pensionnaires de la Villa Médicis avaient des exercices obligatoires — *Exécution sans jugement sous les rois maures à Grenade*. Sa mort glorieuse au combat de Buzenval en 1871 jeta la consternation dans le monde artistique où il était déjà célèbre.

Enfin la *Peste à Rome* d'Elie Delaunay, présentée au Salon de 1869, après de nombreuses années d'études —

19. A. Cabanel: Naissance de Vénus.
Salon de 1863.
Acquis par Napoléon III en 1863 et attribué aux musées nationaux en 1879.
20. H. Regnault: Exécution sans jugement sous les rois maures de Grenade, *1870.*
Acquis en 1872.

21

dessins d'après le modèle pour chaque figure, versions
réduites et esquisses d'ensemble montrant une progressive
dramatisation de la mise en scène jusqu'à l'isolement du
groupe central des anges exterminateurs — est un des
meilleurs exemples de la peinture d'histoire sous le Second
Empire.

Arts décoratifs :
l'éclectisme

Dans toutes les branches de l'art industriel, l'éclectisme, qui admet l'équivalence de tous les styles et où se rencontrent les aspirations nostalgiques ou coloniales de la bourgeoisie montante, devient rapidement un style international que l'essor de l'industrie et du commerce contribue à imposer. Les Expositions universelles où s'accumulent les œuvres les plus diverses révèlent les effets néfastes d'une industrialisation trop brutale et suscitent de multiples initiatives tendant à promouvoir l'union du Beau et de l'Utile : fondation d'écoles de dessin, de sociétés d'encouragement, de musées d'art appliqué, organisation de concours et d'expositions spécialisées, publication de revues et de recueil d'ornements. Mais l'éclectisme est aussi source de renouveau : il incite les créateurs à se mesurer aux Anciens et à les dépasser, à rivaliser de perfection avec les chefs-d'œuvre du passé et des pays lointains, il favorise un retour bénéfique à la nature : naturalisme néogrec de Sevin, néo-Renaissance d'Avisseau ou Frullini, néorococo de Schilt ou Cremer, islamisant de Deck, japonisant de Bracquemond ou Rousseau, etc.

Les grandes firmes industrielles s'entourent des meilleurs collaborateurs : architectes, sculpteurs, peintres et surtout ornemanistes qui sont cités et récompensés aux expositions pour les modèles qu'ils ont fourni à l'industrie. Par-delà l'apparente disparité des styles, ces artistes ont en commun une même ambition de faire grand, une même recherche de qualité, une même audace dans la juxtaposition insolite des motifs, dans l'alliance des matières et des couleurs, un même enthousiasme pour les découvertes scientifiques. A côté des œuvres exceptionnelles commandées par des mécènes, ou réalisées pour les confrontations internationales, certaines créations, déjà éditées en série, relèvent d'une production plus courante et accessible à une large clientèle. D'autres œuvres, de fabrication purement artisanale, sont le fait d'un petit nombre d'artistes qui refusent la mécanisation et la division du travail.

21. E. Delaunay : Peste à Rome *(d'après la légende de saint Sébastien dans* La Légende dorée *de Jacques de Voragine).*
Salon de 1869.
Acquis en 1869.
22. A.L. Barye, sculpteur : Pendule au char d'Apollon.
Bronze à patine verte, marbre rouge.
Faisait partie d'une garniture de cheminée comportant aussi deux candélabres, commandée par Isaac Pereire pour le château d'Armainvilliers en 1858.
Dépôt du ministère des Affaires étrangères.

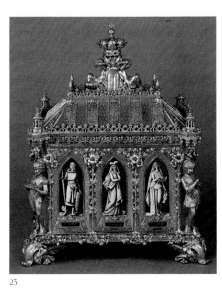

23

24

23. F.D. Froment-Meurice,
orfèvre; J.F. Duban,
architecte; A.V. Geoffroy-
Dechaume, sculpteur;
J.J. Feuchère, sculpteur;
M. Liénard, ornemaniste:
Coffret à bijoux (d'une paire).
Argent partiellement doré,
émail peint, émeraudes et
grenats. Paris, 1849,
Exposition nationale des
produits de l'Industrie. Fait
partie d'un mobilier de toilette
commandé pour le mariage de
la duchesse de Parme (petite-
fille du roi Charles X) en
novembre 1845, mais terminé
seulement en 1851.
Acquis en 1981.

24. Ch. J. Avisseau,
céramiste; O. Guillaume de
Rochebrune, dessinateur et
graveur:
Coupe et bassin.
Faïence fine à décor
polychrome modelé et
rapporté. Paris, 1855,
Exposition universelle. En
réaction contre l'essor de la
céramique industrielle,
Avisseau remet à l'honneur la
poterie d'art en s'inspirant des
modèles de Bernard Palissy.
Acquis en 1983.

25. Fourdinois, maison
fondée par Alexandre Georges
Fourdinois en 1835, dirigée
par Henri-Auguste Fourdinois
à partir de 1867:
Cabinet néo-renaissance.
Noyer sculpté, jaspe et lapis-
lazuli. Paris, 1867, Exposition
universelle.
Dépôt du musée des Arts
Décoratifs.

26. Ch. G. Diehl, ébéniste;
E. Brandely, dessinateur
industriel; E. Fremiet,
sculpteur:
Médaillier.
Cèdre, noyer, ébène et ivoire,
bronze et cuivre
(galvanique?) argentés.
Paris, 1867 et Vienne, 1873,
Expositions universelles.
Acquis en 1973.
Le plâtre de Fremiet pour le
relief central, figurant
l'Entrée triomphale de
Mérovée à Châlons-sur-
Marne, a été donné par
Mme René Martin en 1973.

27

28

29

27. Manufacture de Creil et Montereau; F. Bracquemond, peintre et graveur; E. Rousseau, céramiste et verrier:
Surtout de table.
Faïence fine, décor imprimé et peint sous couverte.
Paris, 1867, Exposition universelle. Fait partie du service «japonais» commandé par Rousseau à Bracquemond en 1866 et réédité par Léveillé jusqu'en 1903!
Acquis en 1984.

28. E. Rousseau, céramiste et verrier:
Vase
Verre gravé et émaillé.
Modèle créé pour l'Exposition universelle de 1878.
Acquis en 1984.
29. Sèvres, Manufacture Impériale de Céramique:
Guéridon (plateau de porcelaine), 1850-1853.
Porcelaine à décor peint, bronze ciselé et doré. Offert par l'impératrice Eugénie à la duchesse d'Hamilton en 1853.
Acquis en 1982.

30. Christofle et Cie, firme dirigée par H. Bouilhet et P. Christofle; A.E. Reiber, dessinateur industriel:
Candélabre (d'une paire).
Bronze patiné et doré, émail cloisonné. Faisait partie d'une garniture comportant une jardinière, créée pour l'Exposition universelle de Vienne en 1873.
Acquis en 1982.
31. E. Lièvre, dessinateur industriel; E. Detaille, peintre:

Meuble à deux corps: armoire sur table d'applique.
Palissandre, bronze ciselé et doré, fer gravé. Sans doute édité par L'Escalier de Cristal comme un meuble analogue orné d'une Japonaise peinte par Clairin (Leningrad, musée de l'Ermitage).
Acquis en 1981.

30

32

Arts and Crafts

32. Manufacture J.W. Hukin & J.T. Heath, Londres et Birmingham; Ch. Dresser, théoricien, dessinateur industriel:
Soupière.
Métal argenté et ébène.
Modèle breveté en 1880.
Acquis en 1985.
33. Morris, Marshall, Faulkner & Co., Londres; Ph. Webb, architecte et dessinateur:
Table.
Chêne ciré, laiton. Webb, l'un des associés de Morris & Co. dès 1861, dessine la majeure partie du mobilier de la firme à ses débuts.
Acquis en 1979.

Véritable initiateur du mouvement esthétique qui va se développer en Grande-Bretagne, surtout à partir des années 1860, — en réaction contre les effets déshumanisants du travail mécanique — A.W.N. Pugin (1812-1852) dégage d'une analyse de l'art gothique les principes d'une architecture fonctionnaliste (1841-1843).

Si Carlyle et Ruskin gardent une attitude idéaliste plus réactionnaire, en condamnant l'emprise de la machine sur l'homme, de leur côté, Robert Owen (père du Socialisme anglais), Henry Cole (organisateur de la première Exposition universelle en 1851 et l'un des pionniers du dessin industriel) et surtout William Morris adoptent une attitude plus pragmatique.

A Morris (1834-1896) revient le mérite d'avoir mis en pratique ses théories en créant sa propre entreprise en 1861, et d'avoir organisé un système de production à la fois artisanal et mécanique, permettant de fabriquer des créations luxueuses ou modestes. Son exemple sera diversement suivi: certains, tels A.H. Mackmurdo (*Century Guild*, 1882), Walter Crane (*Art Workers'Guild*, 1884), C.R. Ashbee (*Guild of Handicraft*, 1888), E. Gimson (*Kenton & Co*, 1890), se heurtent aux contradictions inhérentes au mouvement

33

Arts and Crafts qui favorise une renaissance d'un artisanat coûteux, destiné seulement à une riche clientèle.

D'autres, collaborant avec les firmes industrielles, comme E.W. Godwin (1833-1886) ou C. Dresser (1834-1904), tirent de la découverte des arts du Japon un style épuré «anglo-japonais» qui se prête parfaitement à une fabrication en série.

Presque tous ont en commun une formation, sinon une pratique, d'architecte qui leur donne une vision unitaire d'un art de vivre théoriquement accessible au plus grand nombre.

34. Morris & Co., Londres ; W. Morris, peintre et dessinateur industriel : Boiserie peinte (détail), vers 1880.
Provient de la résidence du comte de Carlisle, Palace Green à Londres. Le décor de la salle à manger comportait aussi une suite de peintures de Burne-Jones, L'Amour et Psyché (musée de Birmingham). Acquis en 1979.

35

Puvis de Chavannes, Moreau, Degas

Ce sont les grands décors peints par Chassériau entre 1844 et 1848 pour l'escalier de la Cour des Comptes (endommagés en 1871, déposés en 1898, juste avant la démolition du bâtiment qui devait faire place à la gare d'Orsay, et maintenant au Louvre) qui fascinèrent Puvis de Chavannes comme Gustave Moreau à leurs débuts.

Pierre Puvis de Chavannes (1824-1898) donne en effet une large place à la peinture décorative, qu'elle soit ou non destinée à un cadre architectural précis. Ainsi, l'*Eté* ne se résume pas en une description naturaliste des travaux des champs, ni en la représentation d'une figure allégorique. Comme le note le critique Georges Lafenestre, au moment du Salon de 1873 où elle fut présentée et acquise par l'Etat : « ce n'est pas l'été de Beauce ou de Brie. C'est l'été dans le pays éternel où habite l'âme de l'artiste ; les sensations n'y sont pas moins vives, mais elles y sont plus générales ».

C'est cet aspect intemporel, allié au refus du clair-obscur, à une coloration claire et fraîche, à l'emploi d'aplats simplificateurs, qui fait apprécier ces œuvres des artistes symbolistes de la fin du siècle, Gauguin, Maillol et les Nabis notamment. *Le pauvre pêcheur* (1881) surprend d'abord avant de devenir, lors de son entrée au musée du Luxembourg en 1887, la « synthèse de la misère ».

Edgar Degas (1834-1917) comme Puvis, abandonna des études de droit pour la peinture et, comme lui, voyagea en Italie où résidait d'ailleurs une partie de sa famille. C'est vraisemblablement lors d'un séjour à Florence chez sa tante Laure Bellelli, née De Gas (l'artiste a volontairement modifié l'orthographe de son nom) qu'il commença *La famille Bellelli* en 1858. Cette grande composition ambitieuse, qui évoque à la fois la tradition du portrait d'apparat et, de manière plus immédiate, l'exemple d'Ingres que Degas admirait profondément, fut précédée de nombreuses esquisses, partielles ou d'ensemble, peintes ou dessinées. Cette œuvre se trouvait dans l'atelier de l'artiste à sa mort et fut acquise par les musées nationaux à la vente de l'atelier. Sensible dans cette peinture à la réalité contem-

35. *P. Puvis de Chavannes :* L'Eté. *Salon de 1873. Acquis par l'Etat en 1873 pour le musée de Chartres et attribué aux musées nationaux en 1986.*

poraine comme à la psychologie de ses modèles, Degas se révèle ici comme un peintre de portrait hors pair (d'autres portraits de membres de sa famille ou d'amis proches sont également présentés au musée d'Orsay).

Parallèlement, à ses débuts, Degas n'en aspire pas moins à être peintre d'histoire comme l'atteste sa *Sémiramis construisant Babylone* en 1861, qui bien que n'ayant figuré à aucun Salon se rattache à une série de compositions historiques que le jeune artiste exposa au cours des années soixante. Il est alors souvent proche de Gustave Moreau (1826-1898) avec qui il s'était lié d'amitié en 1859. Ce dernier, élève de Picot et ami de Chassériau, obtient de fracassants succès au Salon à partir de 1864: le musée d'Orsay conserve *Jason* du Salon de 1865 et *Orphée* du Salon de 1866, tableau choisi alors pour le musée du Luxembourg et considéré comme un chef-d'œuvre digne de la Renaissance. L'iconographie originale de cette jeune fille thrace portant pieusement la tête et la lyre du poète tué par les Ménades est une des premières représentations d'un des thèmes symbolistes récurrents dans la deuxième moitié du XIXe siècle, celui de l'artiste — Orphée ou Jean-Baptiste — dont la pensée, la création persistent au-delà de la mort.

36. P. Puvis de Chavannes: Le pauvre pêcheur. *Salon de 1881. Acquis en 1887.*
37. E. Degas: Sémiramis construisant Babylone, *1861. Acquis en 1918.*

38

38. E. Degas : Portrait de
famille ; la famille Bellelli : le
baron G. Bellelli, sa femme,
née Laure De Gas, tante de
l'artiste et leurs filles.
Commencé à Florence en
1858, ce tableau a peut-être
été exposé au Salon de 1867.
Acquis en 1918 avec le
concours du comte et de la
comtesse de Fels et grâce à
René De Gas.
39. G. Moreau : Orphée,
1865.
Salon de 1866.
Acquis en 1866.
40. A. Böcklin : La chasse de
Diane, 1896.
Acquis en 1977.

Aspects de la peinture
hors de France

Il n'y eut, avant les dernières années du XIXe siècle, que d'épisodiques tentatives pour acquérir, pour le musée du Luxembourg, des œuvres d'artistes étrangers — par exemple Oswald Achenbach sous le Second Empire — et, bien souvent, il s'agissait d'artistes résidant en France. On laissa ainsi passer les occasions qu'étaient les vastes rassemblements internationaux des Expositions universelles et, lorsqu'on y songea, en 1900, il était souvent trop tard. Edmund Davis donna en 1915 une collection de peinture anglaise qui devait susciter la création d'une annexe pour les écoles étrangères au Jeu de Paume en 1922, mais il fallut

40

37

41

42

attendre la récente acquisition de *La roue de la Fortune* de Burne-Jones (1833-1898) pour avoir un chef-d'œuvre de cet artiste, de surcroît une de ses œuvres favorites et celle que Puvis de Chavannes avait souhaité, mais sans succès, exposer à l'un des premiers Salons de la Société nationale des Beaux-Arts qu'il présidait alors. Burne-Jones, tôt rallié à l'esthétique des Préraphaélites, se montre ici admirateur passionné de Michel-Ange, Mantegna ou Botticelli, étudiés lors de ses derniers voyages en Italie en 1871 et 1873 qui devaient tant marquer sa maturité. Hans Makart (1840-1884), une des gloires de l'Autriche au temps de l'empereur François-Joseph, s'était fait remarquer à Paris lors de l'Exposition universelle de 1878. Il avait le souci, en de vastes compositions, de rendre séduisante la peinture d'histoire qu'il entraînait dans un tourbillon baroque d'une grande virtuosité, tout chargé de réminiscences de l'art de Rubens. Il fit de nombreuses peintures décoratives et les deux grandes compositions d'*Abundantia* étaient à l'origine prévues pour la salle à manger du Palais Hoyos à Vienne.

Quant au peintre suisse Böcklin (1827-1901), il se détourna volontairement de la France. Il voyagea dans les pays germaniques et séjourna à plusieurs reprises en Italie. Les tendances symbolistes apparaissent dans sa peinture autour de 1870. Il sait dans ses paysages, calmes ou tempétueux, traduire par une atmosphère particulière le jeu des forces de la nature que viennent simplement confirmer les figures mythologiques qu'il y introduit. *La chasse de Diane*, reprise tardive d'un sujet déjà traité trente ans auparavant, est encore toute empreinte d'un certain classicisme.

41. *Sir E. Burne-Jones :* La roue de la Fortune, *1877-1883.*
Acquis en 1980.
42. *H. Makart :* Abundantia : les dons de la terre, *1870.*
Acquis en 1973.
43. *H. Makart :* Abundantia : les dons de la mer, *1870.*
Acquis en 1973.

43

Carpeaux

44. J.B. Carpeaux :
Napoléon III, *vers 1864.*
Terre cuite.
Don Jacques Doucet, 1908.
45. J.B. Carpeaux : Le prince
impérial et son chien Nero,
1865.
Marbre.
Don de Mme Deutsch
de la Meurthe, 1930.
46. J.B. Carpeaux :
L'impératrice Eugénie et le
prince impérial.
Terre cuite.
Don Jacques Doucet, 1908.
47. J.B. Carpeaux : Ugolin.
Bronze. Commandé en 1862.
Salon de 1863.

« Une statue pensée par le chantre de la *Divine Comédie* et créée par le père de Moïse ce serait un chef-d'œuvre de l'esprit humain », écrivait Carpeaux (1827-1875) à un ami en 1854, l'année où il obtenait le Prix de Rome après dix ans de persévérance. Dante et Michel-Ange, héros des sculpteurs de la seconde moitié du XIXe siècle, auxquels Carpeaux faisait référence, ont inspiré son *Ugolin*. Conçu pour son envoi de dernière année de son séjour à la Villa Médicis, cette œuvre ne correspondait pas, comme on l'a déjà dit, aux normes de l'Académie de France à Rome. Mais Nieuwerkerke, sculpteur lui-même, reconnut un chef-d'œuvre. Carpeaux fut ainsi introduit auprès de la famille impériale. Sans être le portraitiste officiel — rôle tenu par Barre — il fit les esquisses les plus vivantes de Napoléon III et de l'impératrice, mais ne reçut comme commande officielle que celle de la statue en pied du prince impérial avec son chien. Les deux esquisses présentées ici donnent la mesure du talent de Carpeaux — observation, nervosité, vie — toutes qualités qui apparaissent également dans la peinture de ce sculpteur. Les grandes commandes allaient naturellement aux Prix de Rome et les nouvelles façades ne manquaient pas sous le Second Empire. Carpeaux couronna le côté sud du nouveau Pavillon de Flore de l'architecte Hector Lefuel par une figure allégorique de *La France*

44

45

46

49

impériale protégeant l'Agriculture et les Sciences où le souvenir de Michel-Ange est encore présent. Des enfants porteurs de palmes entourent les oculi. Au-dessous, le relief de Flore rend hommage à Rubens, à la plénitude des formes et au mouvement. Cette ronde amorcée par Flore entourée d'enfants allait devenir le thème central de la *Danse*. Commandée pour le nouvel Opéra par son ancien camarade d'études, l'architecte Charles Garnier, en 1863 — la commande officielle d'un «groupe de trois figures» ne date que de 1865 — ce relief longuement cherché par Carpeaux dans ses dessins, ses esquisses modelées, allait trouver une forme dynamique. Ce groupe effervescent faisait fortement contraste avec les compositions de Jouffroy, Guillaume et Perraud, les académiciens chargés des autres pieds droits. Le scandale éclata en 1869 quand l'œuvre fut dévoilée. Les pudeurs offensées, et les opposants au régime s'acharnèrent. Mais Garnier «émerveillé de [la] composition si vivante, du modelé si palpitant [se] disait: Eh bien! si le monument pâtit un peu de l'exubérance de mon sculpteur, ce ne sera qu'un petit malheur, tandis que ça en ferait un grand si, m'entêtant dans mes idées, je privais la France d'un morceau qui sera certes un chef-d'œuvre». Cependant, il dut céder aux pressions officielles. Un autre groupe fut commandé au sculpteur Gumery. La guerre de 1870, puis la mort de Carpeaux à 47 ans, empêchèrent la substitution. La *Danse* de Gumery se trouve au musée d'Angers. En 1964 l'original de Carpeaux menacé par la pollution fut abrité au Louvre et remplacé par une copie.

48. *J.B. Carpeaux:* La danse, *1869.*
Pierre. Commandé en 1865, dévoilé en 1869; transporté de l'Opéra au Louvre en 1964 et du Louvre au musée d'Orsay en 1986.
49. *J.B. Carpeaux:* La France impériale protégeant l'Agriculture et les Sciences. *Plâtre. Commandé en 1863. Salon de 1866. Acquis en 1892.*

Le Nouvel Opéra

50. J.B. Carpeaux: Charles Garnier *(1825-1898) architecte du Nouvel Opéra de Paris, 1869. Bronze. Legs de Mme Charles Garnier, 1921.*
51. A. Crépinet: Projet pour le Nouvel Opéra de Paris, 1861.
Mine de plomb et aquarelle. Projet non retenu, classé second après celui de Charles Garnier. Acquis en 1983.
52. Maquette du quartier de l'Opéra *(détail).*
Maquette réalisée par l'atelier Rémy Munier en 1984-1986.
53. J.E. Lenepveu: Modello pour le plafond de l'Opéra.
Dépôt de la bibliothèque et du musée de l'Opéra.
54. Maquette de la scène de l'Opéra.
Dépôt de la bibliothèque et du musée de l'Opéra.
55. Ch. Garnier:
Le Nouvel Opéra de Paris, *coupe longitudinale, Paris, Ducher et Cie, 1878.*

Lorsque Napoléon III décrète, le 29 septembre 1860, la construction du Nouvel Opéra d'«utilité publique», il reprend une idée vieille d'un siècle: la salle de la rue Le Peletier, trop étroite, avait toujours été considérée comme provisoire et les projets s'étaient accumulés, proposant les emplacements les plus divers. Le concours, lancé en décembre 1860, voit la victoire d'un jeune architecte encore inconnu, Charles Garnier. La maquette du quartier de l'Opéra montre comment l'architecte a dû s'accommoder des «fichus» haussmanniens. Le paradoxe de l'opéra de Garnier est bien d'être, inséré dans un parfait ensemble d'urbanisme Second Empire, un monument qui proclame qu'il n'a rien à voir avec ce qu'on construit à Paris alors, qui refuse la ligne droite au profit de la courbe, l'austérité au profit de l'exubérance ornementale, le régulier au profit du pittoresque, le gris au profit d'une éclatante polychromie. A l'intérieur, Garnier met en scène le cheminement du spectateur, depuis l'entrée jusqu'à son fauteuil et traduit en termes d'architecture toutes les composantes de ce genre si particulier qui fut le «grand opéra français»: extravagance des moyens musicaux et dramatiques, constantes oppositions de lumière et d'ombre, alternance des scènes intimes et des tableaux grandioses.

55

54

55

57

58

59

60

Daumier

Si Daumier fut surtout connu de son vivant pour ses caricatures et lithographies, le public du XXᵉ siècle a découvert ses peintures et ses sculptures qui servirent souvent de point de départ à celles-ci : le musée d'Orsay possède un ensemble exceptionnel de sculptures puisqu'en 1980, grâce à la générosité de M. Michel David Weill la série originale, en terre crue enluminée à l'huile, des trente-six bustes des *Parlementaires* vint rejoindre les *Emigrants* et le *Ratapoil*, permettant ainsi de présenter toute l'œuvre sculptée indiscutable de l'artiste. Exécutés à partir de 1832, les bustes des *Parlementaires*, portraits-charges d'hommes politiques connus tels que Royer-Collard, Guizot, etc. relèvent d'un goût général de la caricature dont Daumier fait une arme politique. Toutefois, il refuse l'anecdote et, servi par une faculté d'observation d'une acuité redoutable et par un talent remarquablement expressif de dessinateur et de modeleur, il n'hésite pas à utiliser la déformation pour révéler la vérité profonde des êtres au-delà desquels il fait apparaître des types universels.

Cet aspect très moderne de son œuvre lui donne une place à part dans la génération romantique et justifie le choix qui a été fait de le présenter au musée d'Orsay plutôt qu'au Louvre.

56. *H. Daumier :* La blanchisseuse.
Acquis avec le concours de D. David-Weill, 1927.
57 à 60. *H. Daumier :* Dr. C. Prunelle *(1774-1863) député* (fig. 57) ;
Ch. Philipon *(1800-1862), journaliste* (fig. 58) ;
J.C. Fulchiron *(1774-1859), poète et député* (fig. 59) ;
F. Guizot *(1787-1874), ministre de l'Intérieur* (fig. 60).
Terre crue coloriée.
C'est Philipon qui commanda la série des bustes à Daumier pour servir de modèle aux lithographies publiées entre 1832 et 1835 dans Le Charivari *et* La Caricature, *journaux dont il était directeur.*
Acquis en 1980 avec l'aide de Michel David-Weill et de la Lutèce Foundation.
61. *H. Daumier :* Les émigrants, *première version, vers 1848-1850.*
Plâtre. Acquis en 1960.

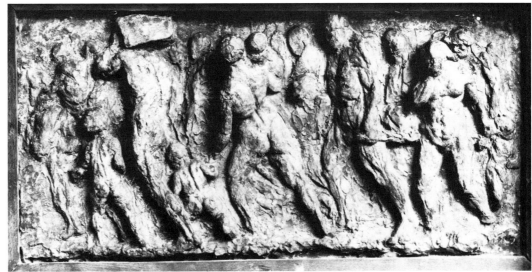

61

62

62. *J.F. Millet:* Le printemps, *1868-1873.*
Don de Mme Frédéric Hartmann, 1887.
63. J.F. Millet: L'Angélus, *1857-1859.*
Legs Alfred Chauchard, 1909.
64. J.F. Millet: Des glaneuses, *Salon de 1857.*
Donation de Mme Pommery, 1890.

63

Millet

Les sujets paysans de Jean-François Millet (1814-1875) qui devaient faire sa célébrité dès 1880, jugés subversifs sous le Second Empire, ne furent pas retenus alors pour le musée du Luxembourg. A sa vente posthume, l'administration acquit cependant deux peintures : un paysage, *L'église de Gréville* et un petit tableau de ses débuts : les *Baigneuses*. Mais c'est grâce aux amateurs que le musée du Louvre s'enrichit peu à peu d'une série exceptionnelle de ses œuvres : la veuve de Frédéric Hartmann qui lui avait commandé une série des quatre saisons, laissée inachevée,

64

donna dès 1887, *Le printemps*. On trouve dans cette peinture aux teintes fraîches, où se joue une étonnante lumière, la quintessence de la dernière manière de l'artiste : il ne s'agit pas d'un simple paysage, mais de l'expression du dialogue entre la nature, modelée par l'homme, et l'homme lui-même, minuscule figure sous un ciel menaçant. Au symbolisme des saisons, Millet ajoute celui des heures du jour, le matin étant associé au printemps.

Bien caractéristique du naturalisme de Millet, est sa capacité à caractériser l'instant précis tout en lui donnant une signification universellement compréhensible : l'exemple le plus fameux est *L'Angélus*, entré au Louvre avec l'important legs d'Alfred Chauchard en 1909. Celui-ci l'avait acheté, en 1890, à l'*American Art Association* qui, un an auparavant, l'avait enlevé à une enchère-record lors de la vente Secrétan le 1er juillet 1889 pour l'exposer triomphalement dans plusieurs villes des Etats-Unis.

Des Glaneuses fit son entrée au musée en 1890. Cette importante peinture avait soulevé les plus âpres critiques lors de son exposition au Salon de 1857. On y voyait passer l'ombre des révolutions en un temps qui croyait accomplie l'extinction du paupérisme. Paul de Saint-Victor dans *La Presse* ne s'écrie-t-il pas : « Tandis que M. Courbet nettoie et corrige sa manière, M. Millet est en train de guinder la sienne. Ses trois *Glaneuses* ont des prétentions gigantesques ; elles posent comme les trois Parques du paupérisme. Ce sont des épouvantails en haillons. » Millet fut cependant défendu par le critique Castagnary qui y décèle l'apparition d'un art nouveau, qui devrait remplacer la peinture d'histoire affaiblie ; il fait d'ailleurs référence à l'Antiquité, notant que c'est « une de ces pages vraies et grandes, comme en trouvaient Homère et Virgile ». Il est vrai que les trois glaneuses évoquent les sculptures du Parthénon, et que leur lourdeur même est essentielle à leur valeur expressive.

Ecole de Barbizon

Depuis son installation à Barbizon, en 1849, Millet avait surtout représenté la vie des paysans au village ou dans la plaine de Chailly, plutôt que la forêt de Fontainebleau toute proche. C'est elle qui était, cependant, le sujet de prédilection des artistes qui depuis une vingtaine d'années venaient de plus en plus nombreux y étudier la nature. Parmi ceux-ci, l'ami de Millet, Théodore Rousseau (1812-1867) avait souffert des refus que lui opposait le jury académique sous Louis-Philippe et ne devait trouver de compréhension officielle qu'avec la Seconde République. Artiste tourmenté qui travaillait et retravaillait ses tableaux, il s'astreignait à peindre sur le motif comme l'atteste la genèse du paysage de forêt, percé par une trouée de lumière verticale, qu'il présenta au Salon de 1849 sous le titre *Une avenue* et qu'il avait entrepris dès le printemps de 1846 lors d'un séjour à L'Isle-Adam chez le paysagiste Jules Dupré.

Quant à Narcisse Diaz de la Peña (1807-1876) il commença par des scènes galantes et de fantaisie, d'esprit romantique, qui lui valurent, après 1860, de réels succès et lui permirent une vie fastueuse. A partir de 1837, lorsqu'il se lia d'amitié avec Théodore Rousseau, il fréquenta assidûment la forêt de Fontainebleau et sut, mieux que tout

65. Th. Rousseau: Une avenue, forêt de L'Isle-Adam.
Salon de 1849.
Legs Alfred Chauchard, 1909.
66. N. Diaz de la Peña: Les hauteurs du Jean de Paris (forêt de Fontainebleau), *1867.*
Legs Alfred Chauchard, 1909.

67

68

Corot

autre, saisir les effets de lumière dans les feuillages et les sous-bois. Le critique Thoré remarque que la supériorité extraordinaire de Diaz, «c'est la qualité de la couleur, qui est toujours déterminée par la lumière...» et que «ses tableaux ressemblent à un monceau de pierreries». Sa technique ne fut pas sans influencer Monticelli ou Renoir, qu'il conseilla.

Rousseau et Diaz sont intimement liés au romantisme, et ne sont, comme Delacroix, présents au musée d'Orsay que par quelques œuvres significatives (notamment celles de la collection Chauchard), le reste demeurant exposé au musée du Louvre.

Parmi les grands aînés dont les œuvres demeurent, pour l'essentiel, au musée du Louvre, il faut aussi, au musée d'Orsay, rendre hommage à Corot (1796-1875). Né au XVIIIᵉ siècle, il devait poursuivre, fort avant dans le XIXᵉ siècle, une carrière modeste, apprécié certes des jeunes artistes et soutenu par les critiques les plus perspicaces, au premier rang desquels il faut placer Baudelaire qui admirait sa science et son «infaillible rigueur d'harmonie».

Il avait voyagé en Italie, fréquenté Barbizon, arpenté la France de la Bretagne au Dauphiné. Il s'astreignait, mal compris du jury académique du Salon, à peupler de figures historiques ou mythologiques ses paysages qui, sans cela, étaient rejetés comme de simples études. Le succès du naturalisme sous le Second Empire lui laisse plus de libertés. En même temps, les amateurs deviennent aussi plus nombreux. A ce moment, sa manière évolue vers un art lyrique, avec une évocation vaporeuse de la nature, comme l'attestent de nombreux tableaux de la collection Chauchard ou bien *La danse des nymphes*, exposée au Salon de 1850-1851 et acquise alors par l'Etat: ce devait être la seule œuvre exposée de son vivant au musée du Luxembourg où elle entra en 1854.

Moins connu encore et peu apprécié de ses contemporains, un autre aspect de l'art de Corot est particulièrement important: c'est celui du peintre de figures isolées, souvent

67. *J.-B.C. Corot:* L'atelier de Corot. Jeune femme à la mandoline, *vers 1865-1870. Acquis en 1933.*
68. *J.-B.C. Corot:* Une matinée. La danse des nymphes. *Salon de 1850-1851. Acquis en 1851.*

en costume de fantaisie, exotique ou théâtral, représentées en plein air ou dans des intérieurs d'atelier. C'est l'occasion pour l'artiste de se livrer à de véritables exercices de peinture pure, annonçant déjà les remises en cause d'un Cézanne. Pour ne pas être retenu par l'individualité du personnage, comme dans ses portraits d'amis ou de familiers, il fait alors appel à des modèles professionnels. L'atmosphère mélancolique qui se dégage de l'attitude pensive de la jeune femme assise dans *L'atelier* est atténuée par le jeu de la lumière sur sa robe et sur son visage, comme sur la tapisserie de la chaise à gauche ; il faut noter aussi le discret symbolisme des objets rassemblés, le chevalet avec un tableau de paysage évoquant la peinture, la mandoline, un air de musique interrompu.

Daubigny

Charles-François Daubigny (1817-1878) est de la génération de Millet et Courbet. Graveur et peintre, il reçut une formation classique et visita l'Italie, avant de se consacrer au paysage français, observé d'après nature. Ses succès se confirment à partir de 1848 et, sous le Second Empire, il occupe une place particulièrement importante, surtout lorsque, dans les dernières années, élu comme membre du jury, il peut intercéder en faveur des jeunes artistes, Cézanne, Renoir ou Pissarro, par exemple. Il visite la France en tous sens, de la Normandie au Dauphiné, connaissant ainsi Ravier à Optevoz et Crémieu. Il est aussi un des premiers à s'installer à Auvers-sur-Oise dès 1860, où lui rendent visite Daumier et Corot. Intéressé par les jeux de la lumière sur l'eau, il parcourt les rivières d'Ile-de-France sur son bateau, le *Botin*, dont il fait un atelier flottant. Sa *Moisson*, du Salon de 1852, scène rustique dans un paysage largement ouvert, présente une audacieuse utilisation des couleurs vives à l'horizon et marque déjà la rupture avec un art plus officiel, comme celui de Rosa Bonheur. Antoine Chintreuil (1814-1873), qui reçut des conseils de Corot dont il se déclarait l'élève, a une carrière plus modeste, étant même un des artistes qui participent en 1863 au Salon des

69. A. Chintreuil: L'espace.
Salon de 1869.
Acquis en 1869.
70. Ch. Daubigny: Moisson,
1851.
Salon de 1852.
Acquis en 1853.

70

71

71. *E. Meissonier:*
Campagne de France, 1814.
Salon de 1864.
Legs Alfred Chauchard, 1909.
72. A. Decamps: Marchand
turc fumant dans sa
boutique, *1844.*
Legs Alfred Chauchard, 1909.
73. E. Meissonier: Le
voyageur.
Cire coloriée et tissu.
Don Jean Du Pasquier, 1984,
en souvenir de sa mère, petite-
fille de l'artiste.

La collection Chauchard

Refusés, après s'être fait connaître sous la Seconde République, grâce au Salon sans jury de 1848. Sa gloire fut surtout posthume, mais, au Salon de 1869, *L'espace*, avec ses verts et ses bleus d'une particulière fraîcheur, avait retenu l'attention et de la critique qui salue un «fin sentiment de la lumière» et de l'administration qui l'acquiert pour le musée du Luxembourg. Dans un tout autre registre, un artiste comme Meissonier (1815-1891) est absolument fidèle à l'observation de la réalité, faisant poser en costume d'époque les modèles de ses tableaux historiques et se référant à une rigoureuse documentation. Ses scènes de genre, souvent d'une taille minuscule, se vendaient fort cher aux amateurs et la collection Chauchard en contient un grand nombre. Il avait en outre formé le projet de fixer en une série de cinq tableaux l'épopée napoléonienne et y travailla toute sa vie: la *Campagne de France, 1814*, présentée au Salon de 1864, est l'un de ceux-là. C'est, avec *L'Angélus* de Millet, une des vedettes de la si riche collection d'Alfred Chauchard, constituée à la fin du XIXᵉ siècle et léguée au Louvre en 1909. Les paysages et scènes naturalistes richement encadrés y voisinent avec les tableaux de genre de petit format, parmi lesquels il est symptomatique de retrouver aussi quelques œuvres romantiques, comme le *Marchand turc fumant dans sa boutique* d'Alexandre Decamps (1803-1860).

72

73

57

Courbet

Gustave Courbet (1819-1877) eut des débuts difficiles
sous le règne de Louis-Philippe : trois seulement de ses
vingt-quatre envois au Salon entre 1841 et 1847 furent en
effet admis par le jury et exposés. Il s'impose avec éclat,
sous la Seconde République, à partir du Salon sans jury de
1848 où il envoie dix œuvres. En 1849, il obtint une médaille
— ce qui le dispense désormais des verdicts du jury — et
devient célèbre. *Un enterrement à Ornans*, sa ville natale,
immense composition où il fait poser ses concitoyens,
partage la critique au Salon de 1850-1851. Le refus de cette
œuvre, comme celui de son nouveau tableau-manifeste,
L'atelier du peintre, par le jury de sélection de l'Exposition
universelle de 1855, l'incite à mettre à exécution son projet

74

75

d'exposition particulière en marge de la vaste rétrospective internationale organisée dans le Palais des Beaux-Arts, construit spécialement avenue Montaigne, où il est cependant représenté par onze œuvres. Son Pavillon du Réalisme, où il expose quarante tableaux, n'est pas un succès et seuls ses amis le défendent, notamment Champfleury, bien qu'il n'ait guère apprécié son portrait dans *L'atelier*.

Les deux grands tableaux de Courbet n'entrèrent que beaucoup plus tard dans les collections des musées nationaux : c'est au moment même où a lieu en 1882 une *Exposition des œuvres de G. Courbet* à l'Ecole des Beaux-Arts, marquant enfin une reconnaissance officielle de l'artiste, que l'*Enterrement à Ornans* est donné au Louvre. Pour l'*Atelier*, après des péripéties multiples, il faut attendre 1920.

A côté de ces tableaux qui effrayèrent le public du Second Empire et excitèrent la verve des caricaturistes, Courbet avait su attirer les amateurs par des œuvres plus accessibles, où la vigueur de son métier ne se dément pas. Le comte de Nieuwerkerke, surintendant des Beaux-Arts sous le Second Empire, n'avait-il pas fait acquérir, sur les crédits de la liste civile de l'Empereur un paysage, *Le ruisseau couvert*, de 1865, conservé ensuite pour les musées, tandis que *La vague* était acquise pour le musée du Luxembourg en 1878, au lendemain de la mort du peintre. *La falaise d'Etretat après l'orage*, du Salon de 1870, peinte également en 1869 lors du séjour de Courbet dans cette petite ville de la côte normande célèbre parmi les artistes depuis le début du siècle, montre la maîtrise de Courbet paysagiste.

76. *G. Courbet:* L'atelier du peintre. Allégorie réelle déterminant une phase de sept années de ma vie artistique.
Exposé en 1855 dans le Pavillon du Réalisme, place de l'Alma à Paris.
Acquis en 1920 avec l'aide d'une souscription publique et de la Société des Amis du Louvre.

Le réalisme paysan

Jules Breton (1827-1906), formé à Anvers et à Paris, s'essaie dès 1849-1850 à des sujets réalistes et de grand format dans le même esprit que ceux d'Antigna ou de Courbet. Il se tourne ensuite avec succès vers l'étude de la vie des champs dans son pays natal, Courrières en Artois. Ses peintures paysannes sont plus narratives que celles de Millet et il obtient de vifs succès sous le Second Empire, notamment avec *Le rappel des glaneuses*. Promu, en quelque sorte, peintre officiel de la paysannerie, il devient en 1886 membre de l'Institut, en un temps où le naturalisme a depuis longtemps triomphé.

Constant Troyon (1810-1865) comme Rosa Bonheur (1822-1899) avaient, au milieu du siècle, été des pionniers de cette représentation de la nature domestiquée ; *Labourage nivernais, le sombrage* commandé par l'Etat en 1848, évoqua pour des générations George Sand.

La place d'Ernest Hébert (1817-1908) est un peu différente. Prix de Rome en 1839, il séjourna à plusieurs reprises en Italie où il renonça vite à la peinture d'histoire pour se tourner, à la suite de Léopold Robert ou de Schnetz, vers la représentation de la vie populaire ; son chef-d'œuvre du Salon de 1850-1851, *La Mal'aria*, entre dans la veine réaliste du moment, tandis que ses compositions plus tardives sont souvent empreintes de ce sentimentalisme qui devait attirer les commanditaires, si nombreux, de portraits féminins qui firent son succès.

77

78

77. *J. Breton:* Le rappel des glaneuses (Artois).
Salon de 1859.
Don de Napoléon III, 1862.
78. *C. Troyon:* Garde-chasse arrêté près de ses chiens, *1854.*
Legs Alfred Chauchard, 1909.
79. *R. Bonheur:* Labourage nivernais.
Commandé en 1848.
Salon de 1849.
80. *E. Hébert:* La Mal'aria, *1848-1849.*
Salon de 1850-1851.
Acquis en 1851.

79

80

81

81. *G. Guillaumet:* Le
Sahara *dit aussi* Le désert,
1867.
Salon de 1868.
Don de la famille de l'artiste,
1888.
82. *E. Fromentin:* Chasse au
faucon en Algérie ; la curée.
Salon de 1863.
Acquis en 1863.

82

L'orientalisme

Ce qu'on appelle au XIXᵉ siècle l'Orient, c'est la Méditerranée musulmane, imaginée (celle des odalisques d'Ingres) ou visitée, la Terre sainte ou la Turquie d'Asie de Tournemine (1812-1872), l'Egypte de Belly (1827-1877) et ses impressionnants *Pèlerins allant à la Mecque* du Salon de 1861 ou encore, et surtout pour les peintres français, l'Afrique du Nord qui déjà avait fasciné Delacroix en 1832 et où il avait eu l'impression de retrouver l'Antiquité vivante. A la découverte de sujets nouveaux, véritables «visions d'Eden» s'ajoute l'éblouissement d'une lumière intense qui devait contribuer à changer la palette des peintres. Au romantisme de Delacroix, Decamps, Chassériau ou, un peu attardé, d'Henri Regnault, fait place progressivement sous le Second Empire un naturalisme que les Goncourt observaient déjà dès 1861, dans leur roman *Manette Salomon*.

Eugène Fromentin (1820-1876) voyagea plusieurs fois en Algérie entre 1846 et 1853, publia en 1857 et 1859 deux récits, *Un été dans le Sahara* et *Une année dans le Sahel*, et resta toute sa vie fidèle aux sujets orientalistes. Il s'agit souvent, dans ces peintures faites de souvenir, de scènes de fantaisie, de reconstitutions pittoresques, comme cette *Chasse au faucon en Algérie : la curée*, acquise pour le musée du Luxembourg au Salon de 1863, où l'on a pu louer les colorations brillantes et la perfection d'un dessin presque ingresque. Plus évidemment naturaliste est l'art de Gustave Guillaumet (1840-1887) qui abandonna en 1862 l'idée d'aller étudier à Rome, et ne fit pas moins de dix voyages en Afrique du Nord.

Les photographes aussi et parmi les premiers, ont participé à cette découverte de l'Orient. Le voyage en Egypte de Maxime Du Camp, accompagné de son ami Flaubert en 1849, aboutit notamment à la publication d'un livre illustré de photographies — la première réalisation du genre — par l'imprimeur Blanquart-Evrard en 1852. Ce livre fut ensuite un modèle pour toute une génération de photographes bien représentés au musée d'Orsay, comme J.B. Greene, F. Teynard, Th. Devéria et A. Salzmann.

83

84

85

Autres aspects
du réalisme

D'autres peintres se rattachent au réalisme par leurs thèmes modernes, mais non par leur technique traditionnelle et soignée. Il s'agit d'un réalisme officiel, de bon aloi, représenté par Alfred Stevens (1823-1906), James Tissot (1836-1902) et Carolus-Duran (1838-1910). En faisant de la vie moderne le sujet de leurs toiles, ces artistes mondains donnèrent de la bourgeoisie aimable et élégante une vision idéalisée.

Après avoir étudié à Bruxelles avec un élève de David, Alfred Stevens s'installa à Paris et débuta au Salon avec des scènes de genre à résonance humanitaire, comme *Ce qu'on appelle le vagabondage*. Malgré la force de la composition en frise, les formes simplifiées et l'espace aplati, une sentimentalité dramatique se dégage de la scène. Ami de Manet, il représenta parfois un décor plus naturaliste dont *La baignoire* du musée d'Orsay est un bon exemple puis devint célèbre en décrivant la vie luxueuse de la bourgeoisie parisienne.

Cette précision dans la mise en scène et le rendu des costumes caractérise aussi l'art de James Tissot qui débuta par des scènes de genre historiques comme le brillant *Faust et Marguerite* du musée d'Orsay. Peintre à succès de

83. Carolus-Duran : La dame au gant, *1869. Mme Carolus-Duran née Pauline Croizette (1839-1912), peintre. Salon de 1869. Acquis en 1875.*
84. J.J. Tissot : Portrait de Mlle L.L. *dit* Jeune femme en veste rouge, *1864. Salon de 1864. Acquis en 1907.*
85. A. Stevens : Ce qu'on appelle le vagabondage *ou* Les chasseurs de Vincennes, *vers 1854. Exposition universelle, Paris, 1855. Legs du peintre Léon Lhermitte, 1925.*
86. Th. Ribot : Saint Sébastien, martyr. *Salon de 1865. Acquis en 1865.*

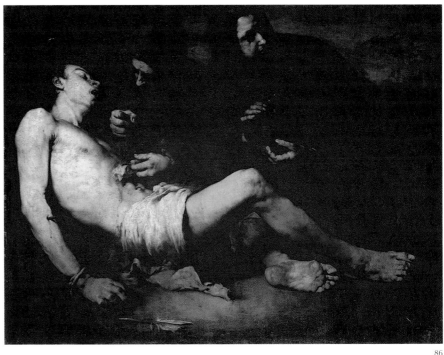

Fantin-Latour

la société élégante, il renouvela aussi l'approche traditionnelle et statique du portrait ainsi qu'en témoigne le *Portrait de Melle L.L.* dont le modèle demeure inconnu et qui figura au Salon de 1864.

La dame au gant est représentative de l'art de Carolus-Duran et montre l'admiration de l'artiste pour la peinture espagnole qui lui inspira ces teintes sourdes et une facture énergique. Le gant tombé rappelle que tout portrait mondain est déjà une scène de genre et accentue la facilité du réalisme bourgeois.

Théodule Ribot (1823-1891) fréquenta l'atelier de Glaize où il reçut un enseignement académique. Il se spécialisa dans des sujets domestiques, choisissant ses modèles autour de lui, sa famille, dans des tableaux intimistes comme *La ravaudeuse* du musée d'Orsay ou les objets simples de la vie quotidienne. Au Salon de 1865, l'Etat acheta *Saint Sébastien*. La prédilection de Ribot pour les thèmes religieux le distingue des autres réalistes. Mais il y exprima davantage son admiration pour le XVIIe siècle espagnol, en particulier Ribera, qu'une ferveur religieuse.

Fantin-Latour (1836-1904) étudia avec Lecoq de Boisbaudran dont la méthode de dessin était basée sur la mémoire visuelle. De nombreuses copies exécutées au Louvre complétèrent son éducation artistique et décidèrent de ses admirations, comme le prouve sa première grande composition, *Hommage à Delacroix*, inspirée par les portraits collectifs du XVIIe siècle hollandais. Ami de Manet et des futurs impressionnistes qu'il représenta dans *Un atelier aux Batignolles* (1870), il eut le goût de la vie moderne. Il refusa l'anecdote, s'échappant de la perspective traditionnelle dans *Un coin de table* (1872) dont la mise en scène fut totalement remaniée autour de Verlaine et de Rimbaud (c'est le seul portrait connu du poète maudit).

Dès cette époque, Fantin-Latour choisit ses thèmes. Ses natures mortes témoignent de son observation méticuleuse de la réalité et de son intérêt pour les effets de lumière. Ses

87

88

Whistler

portraits austères concentrent l'attention sur le visage et équilibrent le sens psychologique avec la simplicité de la présentation. Surtout, l'artiste privilégia ses compositions poétiques inspirées par la littérature et la musique de Wagner, de Berlioz et de Schumann en transposant ses rêves intérieurs dans le domaine visuel.

James Mc Neill Whistler (1834-1903) avait un peu plus de vingt ans lorsqu'il quitta les Etats-Unis pour venir étudier la peinture en France. Sa vie, dès lors, se partagea essentiellement entre Paris et Londres. Ami de Courbet, très lié avec Fantin-Latour qui le représenta en 1864 aux côtés de Baudelaire et de Manet, parmi d'autres, dans son *Hommage à Delacroix*, Whistler fut, dès ses débuts, lié au courant réaliste et mal accepté des milieux officiels. Il fut aussi l'un des artistes de sa génération qui se passionna le plus pour l'art d'Extrême-Orient et notamment les estampes japonaises dont l'introduction en Occident a tant compté pour nombre d'artistes européens. L'extrême raffinement de sa palette jouant sur des accords subtils de couleurs délicates et réduites répond aussi à un désir de simplification décorative. Célèbre pour ses vues de la Tamise dont les contours flous et vibrants rejoignent certains des effets recherchés par Monet, Whistler ne l'est pas moins pour ses portraits. C'est grâce aux efforts de Mallarmé, très lié avec Whistler, et du critique Théodore Duret, ami de Manet et des impressionnistes et qui admirait Whistler, que *l'Arrangement en gris et noir, portrait de la mère de l'artiste* de 1871 put entrer dans les collections nationales françaises dès 1891; sa célébrité croissante depuis lors a fait de cette œuvre austère une image extrêmement populaire.

89. *J. McNeill Whistler:*
Arrangement en gris et noir,
portrait de la mère de
l'artiste, *1871.*
Salon de 1883.
Acquis en 1891.

89

Aspects de la peinture
en province

Paris a été dans la seconde moitié du XIXe siècle le pôle d'attraction de toute la vie artistique française. Pourtant, quelques personnalités originales paraissent demeurer un peu en marge des grands courants parisiens, dans un relatif isolement provincial et, faisant des émules, sont à l'origine de véritables écoles locales. F.-A. Ravier (1814-1895), par exemple, se rattache à l'école lyonnaise bien qu'il ait dû sa formation initiale à Corot ; ses études de ciel, d'une grande liberté, dénotent aussi l'influence de Turner. C'est aussi le cas d'Adolphe Monticelli (1824-1886) formé à Marseille, venu tard à Paris, et qui revint toujours travailler dans le Midi. Son admiration pour Delacroix et pour la virtuosité de Diaz l'incitèrent à élaborer une technique brillante, aux lourds empâtements, qui fut une révélation pour le jeune Vincent van Gogh. C'est aussi à la France méridionale que se rattache Paul Guigou (1833-1871), un ami de Monticelli ; grand admirateur de Courbet, il s'attacha surtout à décrire la forte lumière provençale dans des recherches qui ne sont pas sans rappeler son jeune contemporain Bazille.

Le plein-air

Nombreux ont été dans la première moitié du XIXᵉ siècle les peintres de paysage qui ont insisté sur la nécessité d'observer fidèlement la nature et de préserver, en des notations rapides, prises sur le vif, sur le motif, le caractère éphémère de ce qui s'offrait au regard de l'artiste: les Anglais, de Constable à Turner, sans oublier Bonington, comme les Français de Valenciennes à Corot et aux peintres de Barbizon ont témoigné de cette tendance. A leur suite, deux peintres surtout, Jongkind et Boudin ont, chacun à leur manière, au cours des années 1850-1860, développé ce principe. Jongkind (1819-1891), originaire des Pays-Bas, vint travailler en France où il finit par se fixer définitivement. Sa technique picturale libre, nerveuse et ses liens avec le courant réaliste étaient suffisamment forts en 1863 pour justifier la présence au fameux Salon des Refusés — comme Manet — de son paysage des *Ruines du château de Rosemont.* Jongkind, un aquarelliste hors pair (grâce au collectionneur Moreau-Nélaton, les musées nationaux conservent une magnifique série d'aquarelles de Jongkind) était aussi passé maître dans l'évocation pittoresque des paysages de Hollande, de l'Ile-de-France, de

90. A. Monticelli: Nature morte au pichet blanc. *Acquis en 1937.*
91. P. Guigou: Lavandière, *1860.*
Don Paul Rosenberg, 1912.
92. E. Boudin: La plage de Trouville, *1864.*
Donation du Dr Eduardo Mollard, 1961.

93

Paris et de Montmartre, de la côte normande et de l'Isère.

Eugène Boudin (1824-1898), venu du Havre étudier brièvement à Paris avait bénéficié des conseils d'Isabey et de Troyon; toutefois, outre l'exemple de Corot et de Courbet que Boudin admirait, celui de son ami Jongkind orienta définitivement le sens de ses recherches. Boudin était né à Honfleur, il mourut à Deauville et toute son œuvre est liée à l'évocation de la côte normande; plus tard, l'aisance matérielle venue avec la notoriété lui permit de voyager et de trouver des motifs en Bretagne, à Bordeaux, dans le Midi de la France et même à Venise ou en Hollande. C'est vers 1862 qu'il aborda un thème particulier, à la limite de la scène de genre, celui des plages animées par la foule élégante des estivants qui commençaient alors à fréquenter Deauville et Trouville. Le sujet un peu superficiel lui laissait toute liberté de s'exprimer. Cette peinture claire, détaillant les vibrations de la lumière influença profondément le jeune Claude Monet, dont la famille était fixée au Havre: «Si je suis devenu peintre», a-t-il dit, «c'est à Eugène Boudin que je le dois», soulignant ainsi le rôle de Boudin dans la naissance de l'Impressionnisme. Monet connaissait aussi fort bien Jongkind et fréquenta avec Bazille la ferme Saint-Siméon près d'Honfleur dont le nom a été rendu fameux par les peintres qui, tout au long du XIXe siècle y séjournèrent: Diaz, Troyon, Daubigny, Corot, Courbet sont les plus célèbres. La collection Eduardo Mollard regroupée selon les vœux du donateur au musée d'Orsay présente des œuvres significatives de ce courant souvent qualifié de «pré-impressionniste».

Manet

Lorsque Edouard Manet (1832-1883) propose au jury du Salon de 1863 *Le déjeuner sur l'herbe* (qui s'appelle alors : *Le bain*), il est déjà, auprès des jeunes artistes et critiques, une vedette de ce qu'on appellerait aujourd'hui l'avant-garde, malgré un succès officiel en 1861 avec une «espagnolade» au faire audacieux. Le jeune peintre, dont on connaît les liens avec Baudelaire, est refusé. La sévérité du jury aura été telle en 1863 que l'empereur Napoléon III lui-même fait ouvrir un Salon annexe : le fameux Salon des Refusés; *Le bain* y eut un grand succès de scandale.

Le tableau choqua, tant par la manière esquissée dont il

93. J.B. Jongkind : Ruines du château de Rosemont, *1861. Salon des Refusés, 1863. Donation Etienne Moreau-Nélaton, 1906.*
94. E. Manet : Le déjeuner sur l'herbe, *1863. Salon des Refusés, 1863. Donation Etienne Moreau-Nélaton, 1906.*

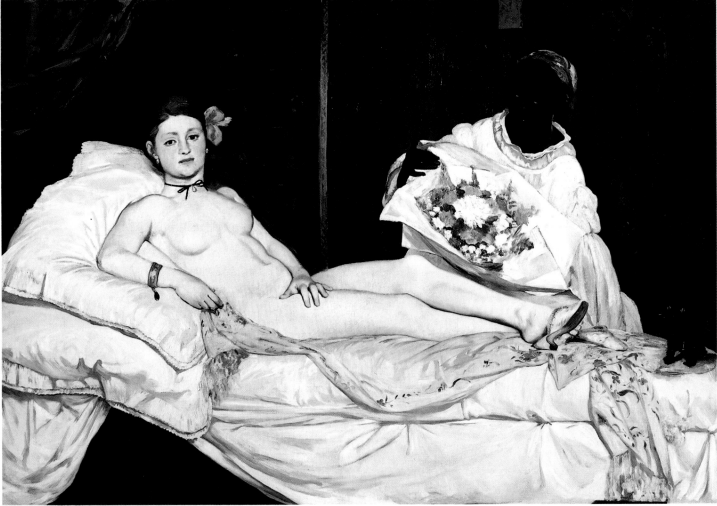

95

95. E. Manet: Olympia.
Salon de 1865.
Offert à l'Etat par souscription
publique sur l'initiative de
Claude Monet, 1890.

était peint, que par le sujet lui-même — qui interprétait pourtant une gravure d'après Raphaël, modèle absolu de l'Ecole des Beaux-Arts. En effet, le sujet est provocant : une femme d'une nudité crue pose très naturellement auprès de deux jeunes gens de l'époque, habillés comme des étudiants aisés. «M. Manet veut arriver à la célébrité en étonnant le bourgeois. (...) il a le goût corrompu par l'amour du bizarre» disait la critique de l'époque sans voir l'effort de transposer dans la vie moderne un thème traditionnel de la Renaissance italienne, de peindre un «*concert champêtre*» contemporain.

Plus grand encore fut le scandale de l'*Olympia* (1863) au Salon de 1865. Cette fois encore Manet avait transformé un nu idéal — *La Vénus d'Urbin* du Titien — en une image provocante et quasi photographique d'un aspect caché de la vie contemporaine du Second Empire : une prostituée nue au regard hardi, sur son lit. Aujourd'hui, si ce nu reste fascinant et provocant, le contexte «immoral» est oublié. Il reste surtout un extraordinaire morceau de peinture, par sa technique et son sujet, le chef-d'œuvre charnière entre le grand art classique et l'art moderne. Celle qu'on voyait à l'époque comme une «brune-rousse d'une laideur accomplie», une «odalisque au ventre jaune», une «dame de pique», etc. est, dans son audace même, sa facture, ses éblouissantes qualités de couleur, de contrastes, d'humour, comme la Mona Lisa de la modernité.

Emile Zola fut dans sa jeunesse un jeune critique audacieux et clairvoyant : Manet fit son portrait en remerciement de la défense ardente que ce jeune homme de vingt-huit ans faisait de sa peinture dans la presse. On le voit entouré de tous les symboles de ses goûts et de son activité : estampes japonaises, gravures de Manet, livres «naturalistes», et derrière sa plume, son petit livre bleu qui défendait Manet. Au Salon suivant (1869) paraissait *Le balcon*, reprise contemporaine d'un thème cher à Goya. On y voit au premier plan, devant le peintre Antoine Guillemet et la

96   97

*96. E. Manet: Emile Zola
(1840-1902), écrivain.
Salon de 1868.
Donation de Mme Emile Zola
sous réserve d'usufruit, 1918;
entré en 1925.
97. E. Manet: Le balcon.
Salon de 1869.
Assise, Berthe Morisot, peintre
et belle-sœur de l'artiste,
Fanny Claus, violoniste,
Antoine Guillemet,
paysagiste.
Legs Gustave Caillebotte,
1894.*

jeune violoniste Fanny Claus, une troisième jeune amie et modèle favori de Manet, la belle Berthe Morisot, qui allait bientôt combattre dans les rangs du groupe impressionniste.

Rejeté de son vivant par les instances officielles, Manet fit son entrée dans les collections publiques françaises grâce aux dons de ses amis et collectionneurs. La première initiative, qui revient à Claude Monet fut d'offrir à l'Etat en 1890, l'*Olympia* achetée à la veuve de l'artiste; le fameux legs Caillebotte fit entrer dès 1896 *Le balcon*, parmi d'autres œuvres, puis vinrent la donation Etienne Moreau-Nélaton (1906) qui comprenait notamment *Le déjeuner sur l'herbe*, et le legs, en 1911, du comte Isaac de Camondo dont *Le fifre* est une des pièces maîtresses. Depuis d'autres dons et des achats vinrent compléter cette belle série qui comprend aussi plusieurs pastels importants.

Les impressionnistes
avant 1870

A Paris, au début des années soixante, l'atelier privé où enseignait Gleyre, un peintre d'origine suisse, attirait de nombreux élèves. Renoir le fréquenta dès 1861 ; Bazille, originaire de Montpellier, s'y inscrivit peu après, ainsi que Monet et Sisley ; tous ces jeunes artistes ne tardèrent pas à former un petit groupe que rapprochaient des idées communes — notamment leur hostilité à l'égard de l'enseignement académique et leur attirance pour le courant réaliste. Renoir (1841-1919), d'origine modeste, assurait son existence en peignant des portraits, dont celui du père de son ami Sisley admis au Salon de 1865 ; que ce soit sa compagne Lise Tréhot — qui a sans doute posé pour le petit *Femme demi-nue couchée* du musée d'Orsay — ou son ami Frédéric Bazille qui l'hébergea à de nombreuses reprises à cette époque, Renoir se sentait particulièrement attiré par la représentation de la figure humaine ; il admirait Courbet et Delacroix mais il subit aussi l'influence de Manet et de Monet. Comme Renoir, Bazille (1841-1870), trop tôt disparu au cours de la guerre franco-prussienne, concentre son attention sur la figure ; l'une de ses compositions les plus accomplies, peinte en 1867 et admise au Salon de 1868, la *Réunion de famille*, montre différents membres de sa famille posant sur la terrasse d'une propriété près de Montpellier. L'éclat du coloris, l'originalité de la mise en page des personnages sous la lumière franche qui accentue les contrastes, laissent deviner l'intérêt que Bazille pouvait porter à l'œuvre de Manet mais aussi ses affinités profondes avec les recherches de Monet aux côtés duquel il ne cessa de travailler. Monet (1840-1926), en effet, de tous ses camarades, apparaissait peut-être comme le plus « avancé ». Les conseils prodigués au Havre où il avait passé sa jeunesse par Boudin et Jongkind, l'incitant à travailler en plein air, avaient imprimé à ses premiers paysages — qui doivent beaucoup par ailleurs à Daubigny — un cachet neuf et résolu qui n'échappa pas aux critiques. C'est sans doute en pensant à Manet que Monet entreprit de peindre en 1865 un

98

99

100

grand *Déjeuner sur l'herbe* dont un fragment appartient au musée d'Orsay, puis *Femmes au jardin*, refusé au Salon de 1867, où l'on reconnaît la future femme de Monet, Camille. Cette grande composition ambitieuse fut commencée en plein air (ce qui en raison du format représentait un tour de force) pour mieux préserver dans l'œuvre achevée la fraîcheur de la vision première, puis travaillée longuement dans l'atelier. Le découpage audacieux des figures, les forts contrastes d'ombre et de lumière autant que le choix d'un sujet contemporain sans la moindre référence anecdotique ne pouvait que déplaire au jury conservateur du Salon et résolument hostile au courant initié par Courbet et Manet. Il n'y eut guère que Zola pour défendre cette œuvre comme il avait défendu celles de Manet et de Pissarro. Malgré cette opposition violente, Monet ne cessa de peindre et le musée d'Orsay conserve notamment de cette époque des chefs-d'œuvre, comme *La pie* ou *L'Hôtel des Roches Noires à Trouville*.

98. *C. Monet:* Femmes au jardin, *1866-1867.*
Refusé au Salon de 1867.
Acquis de l'artiste en 1921.
99. *P.A. Renoir:* Frédéric Bazille peignant à son chevalet, *1867.*
La nature morte que peint Bazille se trouve maintenant au musée de Montpellier; accrochée au mur, une toile de Claude Monet qui partageait l'atelier de Bazille à l'époque. Legs Marc Bazille, frère de l'artiste, 1924.
100. *C. Monet:* La pie, *vers 1868-1869. Acquis en 1984.*
101. *F. Bazille:* Réunion de famille, *1867. Salon de 1868. Acquis avec la participation de Marc Bazille, frère de l'artiste, 1905.*

Arts graphiques

102. J.B. Jongkind:
Autoportrait sous le soleil,
vers 1850-1860. Aquarelle.
Donation Etienne Moreau-
Nélaton, 1906.
103. G. Doré: Catastrophe
du Mont-Cervin; la chute,
1865.
Plume et encre brune, lavis
d'encre de Chine, lavis brun
et rehauts de gouache
blanche. Don de Mlle de
Viefville, 1952.
104. J.F. Millet: Le bouquet
de marguerites, *1871-1874.*
Pastel.
Acquis sur les arrérages du
legs de Mme Dol-Lair, 1949.
105. H. Daumier: Le
défenseur.
Plume et encre noire,
aquarelle et gouache sur
traits à la mine de plomb.
Acquis par dation, 1977.

Non loin des peintures, des sculptures et des collections
d'art décoratif sont présentés aux visiteurs les dessins des
artistes et créateurs qui relèvent des collections du musée
d'Orsay. Ces accrochages temporaires (les dessins ne peuvent être exposés que dans des conditions particulières
d'éclairage et, cela, pour de brèves périodes) permettent de
faire connaître des collections normalement conservées au
Cabinet des Dessins du musée du Louvre. Ce fonds considérable, dont l'histoire est parallèle à celle des collections
de peinture et de sculpture du musée, peut s'enorgueillir de
posséder des pièces importantes et souvent des séries in-
comparables par leur nombre et leur variété de la plupart
des grands noms de cette période riche et féconde. Quelques exemples évoqués ici et appartenant au début de la
période considérée soulignent la différence des tempéraments et des choix artistiques. La narration méticuleuse et
merveilleuse d'un Gustave Doré est bien éloignée de l'esprit amer du réalisme de Daumier, de celui, poétique, de
Millet (représenté de manière exceptionnelle dans les collections) ou d'un Jongkind, qui annonce l'impressionnisme
à travers une série d'aquarelles provenant essentiellement
de la collection Moreau-Nélaton.

104

105

Photographie

106

106. F. Nadar: Portrait
d'une antillaise, *vers 1855.*
Tirage sur papier salé à
partir d'un négatif au
collodion.
Acquis en 1981.
107. G. Le Gray: Le
vapeur, *1857.*
Tirage papier albuminé à
partir d'un négatif verre
au collodion.
Acquis en 1985.

Longtemps méconnue et largement incomprise encore
de nos jours, la photographie du XIXᵉ siècle fait son entrée
dans les musées nationaux avec l'ouverture du musée
d'Orsay. Les collections photographiques du musée ont
pour objet de rassembler et de faire connaître au public
l'ensemble des grandes tendances d'une histoire renou-
velée de la photographie, ceci en France et à l'étranger,
depuis la période du daguerréotype jusqu'à la photographie instantanée et au mouvement pictorialiste ; la photographie abstraite et expérimentale qui apparaît en
Europe et en Amérique dans les dernières années de la
guerre constitue le début du programme du musée national d'art moderne du Centre Georges Pompidou.

L'orientation donnée aux collections du musée d'Orsay,
dont la constitution remonte dans ce domaine à 1979, est la
photographie créative. En cela, elles se différencient des
riches fonds de la Bibliothèque nationale qui ont pour objet
de rassembler l'essentiel de la production photographique
française grâce au dépôt légal (loi de 1851). C'est avant tout
l'originalité de la démarche quant à l'interprétation du
sujet qui détermine la nature «artistique» d'une photographie. Mais c'est souvent sous forme de documents que
se présentent les plus grandes créations de la photographie
du XIXᵉ siècle, que l'on songe aux vues d'Egypte de J.B.
Greene (1832-1857) ou à celles de Paris d'Eugène Atget
(1857-1927). Aux images des grands photographes, s'ajou-
tent dans les préoccupations du musée celles des plasti-
ciens qui pratiquèrent un moment la photographie et l'uti-
sèrent à divers titres (Degas, Bonnard, Gallé, etc.), ou des
écrivains (Victor Hugo, Lewis Carroll, etc.). Les collections
du musée d'Orsay sont particulièrement riches en images
des artistes «primitifs», qui œuvrèrent en France, à la suite
de l'Angleterre, au début de la photographie sur papier
(environ 1850/1860). Durant cette courte période, les photographes démontreront avec une maîtrise inégalée les
possibilités expressives du nouveau médium et explore-
ront les domaines les plus divers de la représentation des
formes.

107

109

108

108. Th. Annan: Planche de l'album «Photographs of the old closes and streets of Glasgow», *1868-1871.*
Tirage sur papier albuminé à partir d'un négatif verre au collodion.
Acquis en 1983.
109. Ch. Hugo: Victor Hugo sur un rocher Jersey, *1853.*
Tirage sur papier salé à partir d'un négatif verre à l'albumine.
Don de Marie-Thérèse et André Jammes, 1984.
110. J. Ch. Langlois: Planche du Panorama de Sébastopol pris de la Tour Malakoff (guerre de Crimée), *novembre 1855.*
Tirage sur papier salé légèrement albuminé à partir d'un négatif papier.
Acquis en 1982 grâce à une subvention de la Mission pour le patrimoine photographique (Direction du patrimoine).

111. Baron Gros: Bas-relief du Parthénon, Athènes, *mai 1850. Daguerréotype.*
Don Roger Thérond, 1985.
112. A. Braun: Couronne de fleurs, *1856.*
Tirage sur papier albuminé à partir d'un négatif verre au collodion. Acquis en 1981.
113. L. Carroll (C.L. Dodgson): Xie Kitchin dormant, *12 juin 1873.*
Tirage sur papier albuminé à partir d'un négatif verre au collodion. Acquis en 1982.
114. Ch. Nègre: Nu allongé dans l'atelier de l'artiste, *1848.*
Négatif, papier ciré.
Acquis en 1981.
115. E. Baldus: Groupe dans un parc, *1854.*
Tirage sur papier salé à partir d'un négatif verre au collodion.
Don de la Fondation Kodak-Pathé, 1983.

110

111

112

115

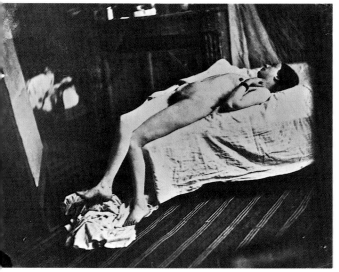

114

115

Architecture
et urbanisme

116

117

La seconde moitié du XIXᵉ siècle fut, pour l'architecture, période faste : considérable développement urbain — le « Paris d'Haussmann », bien sûr, mais des opérations similaires en province et à l'étranger —, programmes nouveaux (gares, usines, hôtels de ville et mairies, musées, lycées et collèges, grands hôtels), grand essor technologique (emploi généralisé du fer, débuts du béton). Mal connue, l'architecture de cette époque, seulement préoccupée, semble-t-il, de reproduire plus ou moins fidèlement les divers styles antérieurs, donne une impression de sclérose. Mais l'historicisme d'un Viollet-le-Duc (1814-1879) ou d'un Ruprich-Robert (1820-1887) est bien autre chose que la reproduction stérile des formes du passé ; soucieux — comme, en Angleterre, les artistes du mouvement *Arts and Crafts* — de pousser leurs projets jusqu'aux ultimes détails de l'aménagement intérieur, s'appuyant sur l'architecture médiévale pour en tirer des formules nouvelles, ils ouvrent la voie à ce qui sera l'Art Nouveau. Les Expositions universelles, régulièrement présentées à Paris de 1855 à 1900 ont laissé du Palais de l'Industrie de 1855 à la Tour Eiffel de 1889 des témoignages significatifs des hardiesses contemporaines.

118

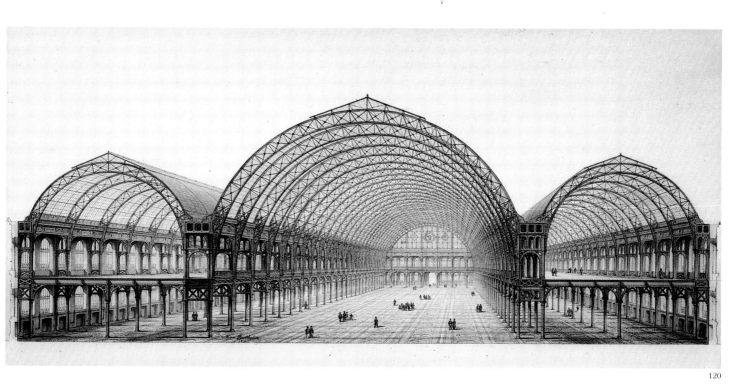

120

121

116. *V. Ruprich-Robert:*
Flore ornementale;
bourgeon de frêne, *vers
1866-1869.*
Crayon et mine de plomb.
Don de la famille Ruprich-
Robert, 1981.
117. *V. Ruprich-Robert:*
Flore ornementale;
chardon, *vers 1866-1869.*
Crayon et mine de plomb.
Don de la famille Ruprich-
Robert, 1981.
118. *Firme Monduit:*
Modèles de poinçons, *fin
XIXe siècle.*
*Plume et encre noire, lavis
gris, rehauts de blanc.*
Don de Mme G. Pasquier-
Monduit, 1983.
119. *A. Gosset:* Sainte
Clotilde de Reims, coupe
longitudinale, *1898-1900.*
*Crayon, plume et encres
noire et rouge, lavis gris,
aquarelle, rehauts de*

gouache blanche.
Acquis en 1985.
120. *M. Berthelin:* Palais
de l'Industrie; coupe
transversale, *1854.*
*Plume et encre noire,
aquarelle. Acquis en 1979.*
121. *L.E. Lheureux:* Projet
de monument à la gloire de
la Révolution française, *vue
perspective.*
*Crayon, plume, lavis,
aquarelle et rehauts d'or.*
*Salon des Artistes français,
1889.*
Acquis en 1981.
122. *A. Bourgade:*
Calligramme en forme de
Tour Eiffel, *1889.*
Fonds Eiffel.
*Don de Mlle Solange
Granet, de Mme Bernard
Granet et de ses enfants,
descendants de Gustave
Eiffel, 1981.*

122

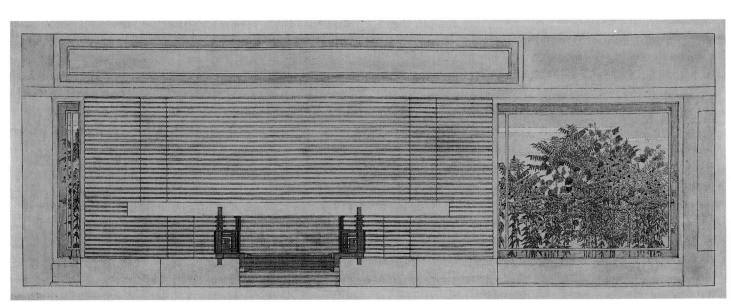

123. M. Boille: Projet
d'école: immeuble pour un
grand journal.
Crayon et aquarelle.
Don Pierre et Jacques Boille,
fils de l'architecte, 1982.
124. E. Viollet-le-Duc:
Projet de toile peinte *pour*
*l'*Histoire d'une maison,
vers 1870-1873.
Aquarelle.
Acquis en 1980.
125. G.M. Niedecken:
Projet de salle de séjour
pour la maison M.E.P.
Irving à Decatur, Illinois,
construite par F.L. Wright
en 1909-1910.
Plume et encre noire,
aquarelle sur toile.
Acquis en 1985.

L'impressionnisme

Lassés de se voir refuser par le jury hostile aux nouvelles tendances du Salon officiel quelques artistes décidèrent au printemps de 1874 d'exposer leurs œuvres de manière indépendante dans un local loué à cet effet, boulevard des Capucines à Paris. Parmi eux, Degas, Renoir, Pissarro, Cézanne, Sisley, Guillaumin, Berthe Morisot et enfin Monet qui exposait, entre autres, une toile intitulée *Impression, soleil levant*; à partir de ce titre, un critique malveillant forgea le terme d'«impressionniste» qui resta attaché au groupe. Une personnalité célèbre pour ses déboires auprès du jury du Salon avait refusé d'exposer à leurs côtés

126. C. Monet: Régates à Argenteuil, *vers 1872. Legs Gustave Caillebotte, 1894.*

126

127

127. *P.A. Renoir :* Etude ;
torse, effet de soleil, *1875.*
Exposé à la seconde exposition
impressionniste, 1876.
Legs Gustave Caillebotte,
1894.
128. *P.A. Renoir :* Bal du
Moulin de la Galette, *1876.*
Exposé à la troisième
exposition impressionniste,
1877.
Legs Gustave Caillebotte,
1894.

Edouard Manet qui , pourtant, apparaissait déjà, aux yeux du public et des critiques, comme l'aîné incontesté du petit cercle qui fréquentait le café Guerbois aux Batignolles puis celui de la Nouvelle Athènes. L'expérience de ces expositions de groupe se répéta au cours des années suivantes, en 1876, 1877, 1879, 1880, 1881, 1882 et 1886 malgré des querelles internes et des défections ; de nouveaux venus firent leur apparition : Gustave Caillebotte (1848-1894), en 1876, fut aussi un des mécènes du groupe ; sa collection d'œuvres de ses amis peintres léguée en 1894 fit entrer, malgré une vive opposition, les œuvres des impressionnistes dans les collections publiques françaises et demeure aujourd'hui encore en ce domaine un des plus remarquables ensembles du musée d'Orsay. En 1879, à la quatrième exposition du groupe se joignirent Mary Cassatt, une amie de Degas, Albert Lebourg et surtout Gauguin, très lié à Pissarro. Enfin Seurat et Signac en exposant à la dernière exposition en 1886 inaugurent par là-même une ère nouvelle. Un cercle restreint, de marchands, dont Paul Durand-Ruel, d'amateurs et de critiques permit à ces artistes vivement discutés de survivre matériellement au cours de ces années difficiles. Tous ces artistes dont la carrière avait commencé au cours des années soixante avaient atteint déjà leur maturité. Bien qu'unis par leur opposition à l'académisme officiel et leur désir d'être les peintres de leur temps, chacun se développait en fonction de sa personnalité propre.

Monet, abandonnant les grands formats et les compositions à figures, s'attacha à décrire la vibration de la lumière

128

129

129. *C. Monet :* La gare Saint-Lazare, *1877.*
Exposé à la troisième exposition impressionniste, 1877.
Legs Gustave Caillebotte, 1894.
130. *C. Monet :* La rue Montorgueil, fête du 30 juin 1878.
Exposé à la quatrième exposition impressionniste, 1879.
Acquis par dation en 1982.
131. *C. Pissarro :* Les toits rouges, *1877.*
Legs Gustave Caillebotte, 1894.

132. *P. Cézanne :* La maison du pendu, *1873.*
Exposé à la première exposition impressionniste, 1874.
Legs Isaac de Camondo, 1911.
133. *B. Morisot :* Le berceau, *1872.*
Exposé à la première exposition impressionniste, 1874.
Acquis en 1930.
134. *C. Monet :* Les coquelicots, *1873.*
Exposé à la première exposition impressionniste, 1874.
Donation Etienne Moreau-Nélaton, 1906.

130

131

132

sur les paysages des bords de Seine à Argenteuil, où tous, y compris Manet, vinrent travailler au début des années soixante-dix. Les *Régates à Argenteuil* de Monet laissées volontairement à l'état d'esquisse ou les *Coquelicots* dont la composition est subtilement rythmée par la répétition d'un groupe de deux figures, sont des exemples parfaits de cette période qui marque l'épanouissement de l'impressionnisme.

Monet fut également attiré par la représentation du Paris contemporain et sa suite de vues de la gare Saint-Lazare un

133

134

135

136

sujet moderne par excellence, soumis à la vision lumineuse
du peintre, annonce des recherches ultérieures.

Renoir resta, lui, fidèle à la représentation de la figure
humaine. Son *Etude: torse, effet de soleil*, accusée par un
critique hostile d'évoquer «un amas de chairs en décompo-
sition», montre à quel point le peintre peut pousser l'étude
de la couleur, presque jusqu'à la dissolution des formes
dans un chatoiement lumineux et contrasté. Pourtant, c'est
sans doute le *Bal du Moulin de la Galette*, évocation du
Montmartre populaire du temps, qui demeure le chef-
d'œuvre de Renoir pour cette période.

Pissarro (1830-1903), fixé à Pontoise, soucieux de
structure, comme son ami Cézanne qui travaille à cette
époque à ses côtés, peint essentiellement des paysages.
Sisley (1839-1899), très proche de Monet, demeure fidèle à
la région de Louveciennes et de Marly.

Deux femmes faisaient aussi partie de ce groupe, Berthe
Morisot (1841-1895), belle-sœur de Manet et proche de lui
dans son art et Mary Cassatt (1844-1926), une Américaine
venue étudier en France et sur qui Degas eut une influence
décisive.

137

138

Degas

Degas (1834-1917) figurait en bonne place à la première exposition du groupe impressionniste en 1874 alors que sa carrière, au cours des années soixante, semblait plutôt le situer dans la tradition. Cependant, très rapidement, le choix de ses sujets — le monde de la danse, des cafés parisiens, des ouvrières, modistes ou repasseuses, des courses — tous pris dans la vie contemporaine, le naturalisme de ses portraits, en font un des maîtres de ce qu'on appela la «nouvelle peinture». Le goût de Degas pour les cadrages subtils s'accompagne d'un dessin précis, aux arabesques audacieuses; sa palette d'abord sombre et retenue se pare de tons acidulés.

139

140

135. *M. Cassatt:* Femme cousant, *vers 1880-1882.*
Legs Antonin Personnaz, 1937.
136. *G. Caillebotte:* Les raboteurs de parquet, *1875.*
Exposé à la seconde exposition impressionniste, 1876.
Don des héritiers de Gustave

Caillebotte par l'intermédiaire d'Auguste Renoir, son exécuteur testamentaire, 1894.
137. *A. Sisley:* Le chemin de la Machine, Louveciennes, *1873.*
Donation Joanny Peytel, sous

réserve d'usufruit, 1914; entré en 1918.
138. *A. Sisley:* L'inondation à Port-Marly, *1876.*
Exposé à la seconde ou troisième exposition impressionniste, 1876 ou 1877.

Legs Isaac de Camondo, 1911.
139. *E. Degas:* Au café dit L'absinthe, *1876.*
Legs Isaac de Camondo, 1911.
140. *E. Degas:* Chevaux de courses devant les tribunes, *vers 1879.*
Legs Isaac de Camondo, 1911.

141. E. Degas : L'étoile, vers
1878, pastel.
Legs Gustave Caillebotte,
1894.
142. E. Degas : Les
repasseuses, vers 1884.
Legs Isaac de Camondo, 1911.
143. E. Degas : Grande
danseuse habillée.
Bronze d'après la cire
originale exposée à la sixième
exposition impressionniste,
1881.
Acquis en 1930 grâce à la
générosité des héritiers de
l'artiste et du fondeur
Hébrard.

141

Manet

Sur la plage a été peint en 1873, à Berck-sur-Mer, sans doute sur le vif. Il représente la femme de Manet, Suzanne, qui lui a souvent servi de modèle et son frère, Eugène, bientôt époux de Berthe Morisot. Une œuvre de plein air comme celle-ci montre bien la distance entre la peinture de Manet et celle de ses jeunes amis impressionnistes sur un thème analogue. Il peint une vision à la fois japonisante et classique; l'harmonie de gris au premier plan évoque Franz Hals et Vélasquez. Pourtant, Manet, autour de 1874, vint souvent peindre aux côtés de Monet à Argenteuil, tout en refusant de participer aux expositions du groupe impressionniste; en revanche, il persista dans ses envois au Salon officiel en dépit de l'hostilité des critiques. Atteint d'ataxie dès 1880, il mourut prématurément en 1883.

Il n'est que justice que les cimaises du musée d'Orsay présentent, sous le pinceau elliptique de Manet, parrain de l'impressionnisme, le portrait de l'homme politique *Georges Clemenceau* (1841-1929) qui fit beaucoup pour aider ses amis artistes. C'est grâce à lui que, sous l'influence de Monet, l'*Olympia* entra au Louvre en 1907, c'est aussi lui qui fit obtenir à Monet, à la fin de sa vie, la grande commande des *Nymphéas* du musée de l'Orangerie.

Monet, Renoir

Le début des années 1880 correspond pour tous les artistes du groupe impressionniste à une époque de réflexion, sinon de crise.

Dès 1878, Renoir avait exposé de nouveau au Salon avec un certain succès et, peu à peu, une certaine aisance matérielle lui permit de voyager, dès 1881 en Algérie (le musée d'Orsay possède plusieurs toiles importantes évoquant ce séjour où Renoir découvre la lumière méditerranéenne tout en gardant présent à l'esprit le souvenir d'un des maîtres qu'il admire, Delacroix), puis en Italie. Le voyage en Italie lui fit redécouvrir les maîtres de la Renaissance qu'il avait admirés dans sa jeunesse au Louvre; l'Antiquité classique, notamment à travers la peinture de Pompéï, contribua aussi à orienter Renoir vers un certain classicisme. Son souci nouveau pour le dessin apparaît très nettement dans les deux grandes compositions des *Danse à la ville* (le modèle féminin est Suzanne Valadon, peintre elle-même plus tard et mère d'Utrillo) et *Danse à la campagne* (posé par Aline Charigot qui devait devenir Mme Renoir), datées de 1883. De même, sa palette s'est simplifiée et revêt des tons acidulés typiques de cette période. Pourtant, dès les *Jeunes filles au piano* (premier achat de l'Etat à l'artiste sur les instances de Mallarmé, en 1892) se fait jour une évolution notable vers une plus grande souplesse et un coloris plus chaud. L'attirance de Renoir pour les sujets aimables, sereins, ne s'est pas démentie jusqu'à la fin de sa vie. Le thème des baigneuses, constant dans son œuvre tout au long de sa carrière, a trouvé un ultime aboutissement dans la grande composition, exécutée en 1918-1919, au cours des derniers mois de la vie du peintre. Le vieil artiste perclus de rhumatismes retiré à Cagnes-sur-Mer dans le Midi en fit une sorte de testament pictural, où les figures — dont les formes amples et les couleurs exubérantes évoquent le souvenir de Rubens — se confondent avec un paysage lumineux.

Le développement de la carrière de Monet, qui, comme

146. *C. Pissarro:* Jeune fille
à la baguette, *1881.*
Legs Isaac de Camondo, 1911.
147. *P.A. Renoir:* Jeunes
filles au piano, *1892.*
Acquis en 1892.
148. *P.A. Renoir:* Danse à la
campagne, *1883.*
Acquis en 1979.
149. *P.A. Renoir:* Danse à la
ville, *1883.*
Acquis par dation, 1978.

Renoir, vécut longtemps, se poursuit fort avant dans le XXe siècle et suit en quelque sorte celui des différents sujets qu'il aborda, au gré de ses résidences successives. A la fin de 1878 Monet s'installa en effet à Vétheuil et ce petit village de la vallée de la Seine, entre Paris et Rouen, lui fournit jusqu'en 1881 ses motifs principaux, changeant au gré des saisons. Le rude hiver 1879-1880, au cours duquel la Seine gela, fut le prétexte d'une suite de toiles consacrée à ce thème dont le musée possède plusieurs exemples. L'installation de Monet dès 1883 à Giverny, en aval de Vétheuil, toujours dans la vallée de la Seine, correspond à une nouvelle évolution. Monet, depuis le début de sa carrière, avait souvent répété un même sujet, étudiant les effets éphémères de la lumière suivant le temps et la saison. Pourtant, l'idée de «série» ne se fait vraiment jour qu'à propos des *Meules*; Monet écrivit alors à son ami le critique Gustave Geffroy: «Je m'entête à une série d'effets différents mais à cette époque le soleil décline si vite que je ne peux le suivre... plus je vais, plus je vois qu'il faut beaucoup travailler pour arriver à rendre ce que je cherche: «l'instantanéité», surtout l'enveloppe, la même lumière répandue partout». D'autres «séries» suivirent, notamment celle des

146   147

148   149

Cathédrales de Rouen, qui, bien que datées de 1894, ont été peintes en 1892 et 1893, série magnifiquement représentée au musée d'Orsay grâce au legs du comte Isaac de Camondo, un amateur fervent de Monet et grâce à un premier achat — tardif — de l'Etat à l'artiste en 1907. D'autres séries suivirent au début du siècle, centrées sur Vétheuil et Londres. Monet utilisa souvent alors des formats presque carrés, adoptés également pour les toutes premières compositions évoquant les nymphéas du jardin créé par l'artiste à Giverny et intitulées *Bassin aux nymphéas*. Ces *Nymphéas*, thème central des dernières recherches de

150　　　　　　　　　　　　　151　　　　　　　　　　　　　152

l'artiste, trouvent leur aboutissement dans la décoration des deux salles du musée de l'Orangerie inaugurées en 1927, après la mort du peintre, mais conçue par l'artiste selon un projet vivement appuyé par Clemenceau qui admirait profondément l'œuvre de Monet.

Comme celle de Monet, la carrière de Sisley se poursuit à travers les motifs qu'il traite. Installé à Moret-sur-Loing depuis 1882 Sisley s'est attaché à en peindre les environs. Mort en 1899, il ne vécut pas assez pour connaître enfin la célébrité.

Pissarro qui fut le seul à participer à toutes les expositions du groupe avait connu, comme ses camarades, une période difficile au début des années 1880. Un nouvel intérêt pour la figure, alors qu'il avait essentiellement fait œuvre de paysagiste, lui fit peindre une série de toiles évoquant les paysans des environs de Pontoise ; la *Jeune fille à la baguette* est un exemple à la fois construit et sensible de cette période ; la touche menue, mais aussi parfois fortement empâtée témoigne de recherches techniques qui n'ont cessé de hanter l'artiste. Le même souci d'expérimentation le conduisit à adopter avec enthousiasme vers 1886-1887 les principes divisionnistes prônés par Seurat et Signac. Toutefois, cette discipline stricte convenait mal à son tempérament et il l'abandonna pour la technique plus souple qui est celle de ses œuvres tardives, des paysages d'Eragny-sur-Epte (où il s'installa en 1884), des vues de Paris et de Rouen notamment.

153

154

150 à 154. C. Monet: La cathédrale de Rouen.
Bien que datées 1894, ces cinq versions d'une série ont été peintes en 1892 et 1893. L'Harmonie brune a été acquise en 1907 mais les quatre autres: Temps gris; Soleil matinal, harmonie bleue; Effet du matin, harmonie blanche; Plein soleil, harmonie bleue et or *proviennent du legs Isaac de Camondo, 1911.*
155. P.A. Renoir: Baigneuses, *1918-1919. Don des fils de l'artiste, 1923.*

155

Cézanne

Les collections du musée d'Orsay sont fort riches en œuvres de Cézanne (1839-1906) et cet ensemble, très représentatif de la diversité des thèmes abordés par le peintre, permet d'étudier les phases successives de l'évolution de l'art cézannien.

Au début de sa carrière, l'artiste, né à Aix-en-Provence comme son ami Emile Zola, ressentit l'influence des maîtres anciens, en particulier des Vénitiens (sensible dans *La Madeleine*, vers 1868-1869 et la *Pastorale* de 1870) et de Delacroix. Il se montrait partagé entre des aspirations romantiques (*La femme étranglée*, vers 1870-1872) et l'esprit plus réaliste des peintres de son temps, tel que Manet l'avait exprimé auparavant. A la première exposition impressionniste de 1874, deux toiles de Cézanne suscitèrent les railleries du public et des critiques : la célèbre *Maison du pendu*, paysage exécuté lorsque l'artiste séjournait chez le docteur Gachet à Auvers-sur-Oise et travaillait aux côtés de Pissarro, ainsi qu'*Une moderne Olympia*, interprétation du sujet traité en 1863 par Manet. La vue plongeante sur la baie de Marseille peinte à *L'Estaque* rappelle aussi le souvenir de Manet : « c'est comme une carte à jouer », précisait Cézanne à Pissarro, renouvelant l'effet obtenu par Manet avec *Le fifre*. Outre les paysages et les compositions de jeunesse où l'insertion de nus dans la nature annonce les recherches ultérieures du maître jusqu'à l'élaboration des

156. *C. Monet :* Nymphéas bleus, *après 1916.*
Acquis en 1981.
157. *P. Cézanne :* L'Estaque ; vue du golfe de Marseille, *vers 1878-1879.*
Legs Gustave Caillebotte, 1894.
158. *P. Cézanne :* Les joueurs de cartes, *vers 1890-1895.*
Legs Isaac de Camondo, 1911.

Grandes Baigneuses (recherches illustrées au musée d'Orsay par plusieurs études de *Baigneurs* et *Baigneuses*), deux thèmes ont particulièrement retenu l'attention de Cézanne au long de sa carrière: le portrait («la figure», selon le terme employé par l'artiste) et la nature morte. Une grande lenteur d'exécution et une certaine timidité peuvent expliquer que Cézanne se soit souvent représenté (voir les deux *Autoportraits* conservés au musée d'Orsay) ou encore ait choisi ses modèles parmi ses proches ou familiers (*Les Joueurs de cartes*). Sa femme devint le modèle privilégié du peintre qui cherchait à rendre non pas les expressions fugitives d'un visage, mais plutôt l'essence du personnage, son caractère permanent; l'étude des formes prédomine sur l'analyse psychologique (*La femme à la cafetière*). Cette simplification des volumes tendant à une expression géométrique des formes a été reprise dans l'art du XXᵉ siècle. De même, pour ses dernières natures mortes, Cézanne abandonna la perspective linéaire traditionnelle au profit d'un système perspectif nouveau qui ouvrait la voie au cubisme.

159. *P. Cézanne:* La femme à la cafetière, *vers 1890-1895.*
Don de M. et Mme Jean-Victor Pellerin, 1956.
160. *P. Cézanne:* Pommes et oranges, *vers 1895-1900.*
Legs Isaac de Camondo, 1911.

Van Gogh

Après une période d'errance où, incertain de sa vocation il effectue des études de théologie pour travailler ensuite chez le marchand de tableaux Goupil successivement à La Haye, Londres et Paris, ce n'est qu'en 1880 que Vincent van Gogh (1853-1890), fils d'un pasteur hollandais, découvre sa vocation de peintre. Ses premières peintures, sombres, effectuées en pleine pâte, représentent les paysans du Borinage belge et trahissent déjà un tempérament violemment tourmenté. En 1886, il vient s'établir à Paris auprès de son frère Théo également employé de Goupil mais tout acquis aux nouvelles tendances, qui le soutiendra de son affection sans défaillance et lui apportera l'aide matérielle sans laquelle il eût rapidement sombré dans la misère la plus totale. L'abondante correspondance entre les deux frères demeure un des documents les plus émouvants de toute l'histoire de la peinture. A Paris, Van Gogh découvre un milieu artistique en pleine effervescence. La découverte de l'impressionnisme exerce une influence immédiate sur sa peinture dont la palette s'éclaircit et les sujets se diversifient. Avec *L'italienne*, qui représente très vraisemblablement la patronne du cabaret parisien, Le Tambourin, Agostina Segatori, connue des peintres et des écrivains, il donne un de ses plus vibrants portraits; l'exaltation des couleurs complémentaires (rouge-vert, bleu orangé) et la simplification abstraite des éléments de la composition y renforcent la puissance expressive d'une touche vigoureuse et font de Van Gogh le précurseur des Fauves.

En février 1888, l'artiste part s'installer dans le Midi où il s'établit à Arles, anxieux s'y réaliser son rêve d'une communauté artistique en faisant venir auprès de lui notamment Paul Gauguin qu'il admire profondément. Le rêve tourne vite à la catastrophe car, suite à une violente dispute entre les deux artistes, Van Gogh se tranche l'oreille dans une crise de démence, prélude à une déchéance nerveuse qui, d'internements en précaires répits, le mènera au suicide en 1890.

161

162   163   164

Peinte alors qu'il se faisait soigner à l'hospice de Saint-Rémy, *La chambre à Arles* dont il existe trois versions évoque rétrospectivement celle que l'artiste occupait à l'époque où il peignait ses fameux *Tournesols.* Souvenir radieux d'un homme désormais en proie à la démence, cette toile aux couleurs stridentes, à la perspective basculante qui contraste avec l'aspect bien rangé de cette pièce si modeste, constitue une véritable tentative d'exorcisme. Un des meilleurs exemples de cette fonction cathartique de l'art en est la série d'autoportraits, une quarantaine environ à travers lesquels Van Gogh ne cessera d'interroger sa propre image, souvent hallucinée comme c'est le cas dans celui de 1889 qui appartient au musée d'Orsay. Archétype de l'artiste maudit cher au XIXe siècle, Van Gogh préfigure une lignée d'artistes de l'expression pure tels Munch, Jawlensky ou Kokoshka pour lesquels la peinture est avant tout projection du monde intérieur. Van Gogh avait fait don de cette toile au docteur Gachet qui, outre ses qualités médicales, fut l'ami et le généreux soutien de nombreux peintres dont Renoir, Pissarro, Cézanne et Guillaumin qu'il accueillit chez lui à Auvers-sur-Oise. C'est là que se réfugia Van Gogh à peine rétabli en mai 1890. Il eut encore le temps de peindre la désormais fameuse *Eglise d'Auvers,* saisissante vision où la touche et la couleur se renforcent mutuellement dans une toile qui fait de Van Gogh le précurseur de l'expressionnisme européen. Une des conditions de la donation consentie par les enfants du docteur Gachet de la prestigieuse collection de cet amateur original était qu'elle fût groupée, ce qui explique l'accrochage observé au musée d'Orsay.

Seurat et le
néo-impressionnisme

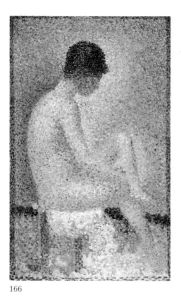

166

167

Au cours de sa carrière brève et intense, Georges Seurat (1859-1891) peignit plusieurs chefs-d'œuvre aujourd'hui dispersés hors de France, ce qui le rend relativement méconnu dans son propre pays : *Une baignade, Asnières* peinte en 1883-1884, refusée par le jury du Salon officiel et exposée au premier Salon de la Société des Artistes Indépendants en 1884, est à Londres. *Un dimanche après-midi à l'Ile de la Grande Jatte*, qui figura à la huitième et dernière exposition impressionniste en 1885, à Chicago, et *Les poseuses* (1886-1888) à la Barnes Foundation près de Philadelphie. Ces grands chefs-d'œuvre ne sont évoqués au musée d'Orsay que par des esquisses rapides — des «croquetons» — pour les deux premières, ou des études préparatoires abouties et soigneusement travaillées pour *Les poseuses*. Seul un paysage, *Port-en-Bessin* (1888), et son dernier tableau, *Le cirque* (1891), témoignent de son génie dans la réalisation de sa méthode, connue sous le nom de «néo-impressionnisme». Il s'agit d'une technique de la division de la couleur, posée pure, sans mélange, en petites touches sur la toile ; d'un système de composition basé sur l'équilibre harmonique des contraires et sans doute du nombre d'or. De formation classique, passionné par les lois de la couleur et des lignes qu'il a étudiées chez Charles Blanc, Rood, Chevreul, puis avec son contemporain Charles Henry, Seurat a cherché à inscrire sa vision de la modernité, à la fois dans le choix des sujets et sa méthode «scientifique», dans une grande tradition, au-delà de l'impressionnisme. Dans *Le cirque*, il a voulu, non sans humour, transmettre par la symbolique des couleurs et des lignes ascendantes, une idée de frénésie et de gaieté.

Ses théories ont été diffusées et développées par son ami Paul Signac (1863-1935) dans un manifeste paru à la fin du siècle «D'Eugène Delacroix au néo-impressionnisme». Ce peintre, principale tête du mouvement après la mort de Seurat, oriente la technique vers plus de couleur, en élargissant la touche, et se consacre de plus en plus, à partir de

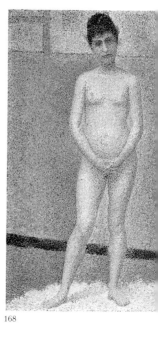

168

166 à 168. G. Seurat : Trois esquisses *pour* Les poseuses, *1886-1887. Acquis en 1947. 169. G. Seurat :* Le cirque, *1891. Legs John Quinn, 1924.*

114

170

171

la fin du siècle, à la peinture des paysages maritimes, où il retrouva, derrière un tempérament impressionniste contrôlé par sa technique, des compositions dans la tradition des paysages français du XVIIᵉ et XVIIIᵉ siècles. Plus encore que les autres membres du groupe, unis jusqu'au milieu des années 1890 (Angrand, Dubois-Pillet, Luce, pour un temps Camille Pissarro, Théo van Rysselberghe, etc.), Henri-Edmond Cross (1856-1910) restera comme Signac fidèle à la technique jusqu'à la fin de sa vie. *L'air du soir* (1894) témoigne alors d'une esthétique raffinée et «fin de siècle», proche, malgré le «divisionnisme» de la touche, de celle des Nabis, en particulier de Maurice Denis.

172

Toulouse-Lautrec

Issu d'une grande famille aristocratique du Sud-Ouest, le jeune Henri de Toulouse-Lautrec (1864-1901) fut victime adolescent de plusieurs accidents qui le laissèrent infirme à vie. Cette disgrâce physique jointe à une intelligence aiguë font de cet artiste une des personnalités les plus excentriques de la fin de siècle, caustique et poignante à la fois. Compensant ses infirmités par une vie peu conforme aux canons bourgeois, Lautrec trouve dans le Paris nocturne des théâtres, cabarets et maisons closes le modèle de ses toiles fortement marquées par l'influence de Degas et de l'estampe japonaise. Il y traque souvent la beauté dans le sordide et nous a laissé, par ailleurs, dans ses peintures et lithographies une des plus saisissantes galeries de portraits du monde du spectacle à la fin du siècle.

En 1895, la célèbre danseuse du Moulin-Rouge, la Goulue, demanda à l'artiste de décorer la baraque qu'elle venait de louer à la foire du Trône pour y présenter son nouveau spectacle. Telle est l'origine des deux grandes toiles peintes représentant, l'une, la Goulue et son partenaire, Valentin le désossé, dansant au Moulin-Rouge et l'autre, la Goulue en almée. La femme, actrice, mondaine et prostituée est également une des principales sources d'inspiration de Lautrec qui exécute *La toilette* en 1896, l'année même où paraît sa suite de lithographies intitulée *Elles*.

170. *G. Seurat:* Port-en-Bessin, avant-port, marée haute, *1888.*
Acquis sur les arrérages d'une donation anonyme canadienne, 1952.
171. *P. Signac:* La bouée rouge, *1895.*
Don du Dr Pierre Hébert, sous réserve d'usufruit, 1957; entré en 1973.
172. *H.E. Cross:* L'air du soir, *1894. Don de Mme Ginette Signac, 1976.*
173. *H. de Toulouse-Lautrec:* La toilette, *1896.*
Legs Pierre Goujon, 1914.
174. *H. de Toulouse-Lautrec:* Henry Samary, de la Comédie Française, dans le rôle de Raoul de Vaubert dans la comédie de J. Sandeau, Mlle de la Seiglière, *1889.*
Donation Jacques Laroche sous réserve d'usufruit, 1947; entré en 1976.

175

175 à 176. H. de Toulouse-
Lautrec : La danse au
Moulin Rouge (La Goulue
et Valentin le désossé) et La
danse mauresque ou La
Goulue en almée, *panneaux*

*décorant la baraque de la
Goulue à la Foire du Trône, 1895.
Acquis en morceaux en 1929,
sauf le fragment de* Valentin
le désossé, *don M. Auffray,
1929 ; reconstitués en 1930.*

176

177

Redon

Artiste solitaire, Odilon Redon (1840-1916) développa une œuvre originale tout entière nourrie aux sources de l'inconscient et du rêve, peuplée d'êtres mystérieux, gnomes, animaux et fleurs fantastiques... Il est avec Puvis de Chavannes et Gustave Moreau un des principaux représentants du symbolisme français.

D'abord vouée au noir (dessins au fusain et lithographies), l'œuvre de Redon, aux sources souvent littéraires (Edgar Poe, Flaubert...), est la projection de ses visions intérieures, caractéristique en cela de l'univers intellectuel de la fin du siècle et du climat d'introspection poétique qui se développa en France de Baudelaire à Mallarmé. En 1890, Redon se tourne vers la couleur tout en restant fidèle à ses thèmes de prédilection. *Les yeux clos* qui fut aussi la première œuvre de l'artiste à être achetée par l'Etat en est un exemple significatif. C'est finalement dans la somptuosité du pastel que Redon trouva le médium le plus apte à traduire ses visions fantastiques. Dans cette technique il atteint une virtuosité inégalée comme en témoigne *Le Bouddha*, un des plus célèbres parmi les nombreux pastels de l'artiste que conserve le musée d'Orsay (cette riche collection provient notamment des donations et legs de Suzanne et Arï Redon, le fils de l'artiste ainsi que des libéralités de Claude Roger-Marx).

177. O. Redon: Le Bouddha, *vers 1905.*
Pastel
Salon d'Automne, Paris, 1906.
Acquis en 1971.
178. O. Redon: Les yeux clos, *1890.*
Acquis en 1904.

Gauguin

Paul Gauguin (1848-1903) vint à la peinture en amateur, et c'est grâce à ses premiers succès obtenus lors des expositions du groupe impressionniste auxquelles il participe à partir de 1880, qu'il décida de s'y consacrer totalement.

Pont-Aven, en Bretagne, est la première étape d'un voyage qui ne s'arrêtera jamais. Il y fera des séjours en 1887, 1888, 1889-1890, puis en 1894, parmi les artistes connus sous l'étiquette d'«Ecole de Pont-Aven», sur lesquels il aura une influence certaine.

Son voyage en Martinique, le bref séjour auprès de Van Gogh à Arles et quelques haltes parisiennes alterneront avec ses retraites bretonnes. *La belle Angèle* de 1889 montre sa parfaite synthèse entre cloisonnisme, symbolisme, japonisme et simplicité décorative héritée de Puvis de Chavannes, et révèle cette attirance pour un monde primitif qui le conduit une première fois à Tahiti (1891-1893). Sensible aux cultes obscurs et à l'artisanat local qui influencera ses sculptures à venir, Gauguin trouve là les sujets et la spiritualité que son œuvre réclamait.

Le retour en France n'est qu'un intermède. En 1895, Gauguin repart dans les Iles, où il mourra.

179. P. Gauguin: Le cheval blanc, 1898.
Acquis en 1927.
180. P. Gauguin: La belle Angèle, 1889.
Don Ambroise Vollard, 1927.
181. P. Gauguin: Le repas, 1891.
Donation de M. et Mme André Meyer sous réserve d'usufruit, 1954; abandon de l'usufruit, 1975.

Ecole de Pont-Aven

182. E. Bernard: Madeleine
au Bois d'Amour, *1888.*
Acquis en 1977.
183. P. Sérusier: Le
talisman, *1888.*
*Acquis en 1895 avec la
généreuse participation de
M.P.M. transmise par la
Lutèce Foundation.*
184 et 185. P. Gauguin:
Idole à la coquille, *1893 et*
Idole à la perle, *vers 1892-
1893. Bois.*
*Acquis en 1951 avec la
participation de Mme Huc
de Monfreid; entré en 1968.*

Née de la rencontre de plusieurs peintres qui souhai-
taient se démarquer de l'impressionnisme, l'Ecole de Pont-
Aven doit son nom à un village breton près de Concarneau
fréquenté par les artistes. Gauguin s'y installa en février
1888. Emile Bernard (1868-1941), qui arriva en août 1888
fait figure de théoricien: «synthétisme» et «simplification»
sont deux mots clé qu'il nota au dos de la *Nature morte au
pot de grès* du musée d'Orsay. Le portrait de sa sœur
Madeleine représentée en gisante au Bois d'Amour, l'un
des buts de promenade de Pont-Aven, montre des aplats
soulignés par un cerne noir contrastant avec l'effet de vue
plongeante; la leçon fut reprise par Paul Sérusier (1863-
1927) qui peignit à Pont-Aven — ainsi qu'il le nota au revers
de son tableau — «en octobre 1888 sous la direction de
Gauguin» un paysage sans perspective où la couleur, la
tache de ton pur, prend toute sa force et qui allait devenir le
fameux *Talisman* des Nabis.

D'autres peintres comme Charles Laval (1862-1894) ou
Charles Filiger (1863-1928), reprirent ces thèmes simples.
Pour tous, la Bretagne symbolisa le mysticisme et la naïveté
d'un monde sauvage.

Sculpture:
Gauguin et les Nabis

Après son expérience de la céramique en 1886-1887, où rien ne précède le geste créateur, Paul Gauguin réalisa plusieurs sculptures en bois peint, comme le relief *Soyez mystérieuses* exécuté au Pouldu, en Bretagne, en 1890. Sa connaissance des arts populaires bretons et des arts dits primitifs lui suggérait cette recherche de polychromie et de formes simplifiées aux méplats et aux zones d'ombre contrastés. Le modelé, la couleur et la composition synthétique orientent l'observation de la simple reconnaissance des objets à une appréciation emblématique de l'archaïsme.

Georges Lacombe (1868-1916) introduit auprès des Nabis par Sérusier, reprit à Gauguin ce goût des idoles païennes. Il sut allier les surfaces plates à la souplesse du trait dans les *Danses bretonnes* de 1894, le raffinement au primitivisme dans le décor d'un lit où il exprima le mystère de l'existence humaine. Il s'inspira à nouveau du cycle éternel de la vie et de la mort dans sa représentation d'*Isis*, pressant ses seins d'où jaillissent deux flots rouges générateurs de vie. La polychromie, les déformations plastiques à des fins expressives et le type physique heurté montrent la liberté du travail direct du sculpteur.

186

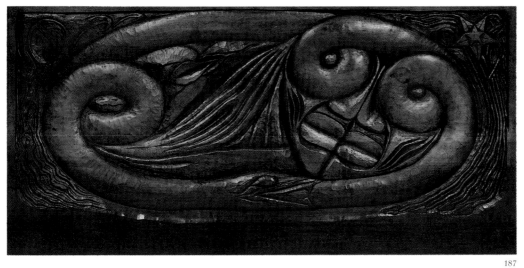

187

186. *G. Lacombe:* Isis, *vers 1893-1894. Bois polychrome. Salon des Indépendants, Paris, 1895. Acquis en 1982.*
187. *G. Lacombe:* L'Existence, *1892. Bois.*

Tête du lit de l'ergastère des Nabis. Acquis en 1956.
188. *P. Gauguin:* Soyez mystérieuses, *1890. Bois polychrome. Acquis en 1978.*

189

Les Nabis

Plutôt qu'une école au sens strict du terme, le mouvement nabi désigne un groupe de peintres unis d'une solide amitié qui partagèrent entre 1888 et 1900 environ la commune ambition de rénover la peinture. Camarades d'atelier à l'Académie Julian ou à l'Ecole des Beaux-Arts, ils avaient nom Bonnard (1867-1947), Vuillard (1868-1940), Maurice Denis (1870-1943), Roussel (1867-1944), Ranson (1864-1909) et n'allaient pas tarder à être rejoints par Vallotton (1865-1925), suisse d'origine, et le sculpteur Maillol (1861-1944). Ils se réclament de Gauguin dont le message — «la liberté de tout oser» — leur a été révélé par l'intermédiaire de Sérusier qui un beau jour d'octobre 1888 à l'Académie Julian leur dévoile le fameux *Talisman* par lui peint sous la dictée du maître de Pont-Aven. Leurs autres admirations s'adressent à Puvis de Chavannes, Odilon Redon et Cézanne en l'honneur duquel M. Denis peindra le grand *Hommage à Cézanne* également au musée d'Orsay et où il représente ses confrères nabis.

Ils se voulaient prophètes d'un art nouveau — c'est le sens en hébreu du mot «nabi» que, mi-canular d'étudiants, mi-foi en leur vocation novatrice, ils choisissent pour se désigner. Fortement influencés par l'art des estampes japonaises, ils en adoptent le parti simplificateur, les teintes plates, l'absence de profondeur. C'est ainsi que Bonnard, justement surnommé le «nabi japonard» découpe ses personnages, qui ne sont autres que les membres de sa famille réunis pour une *Partie de croquet*, comme des silhouettes contrastant sur un fond traité en grandes masses décoratives.

Une commune ambition de dépasser la peinture de chevalet poussait les Nabis à se passionner pour tous les arts du décor, des décors de théâtre aux décorations d'intérieur, genre dans lequel leur esthétique trouva le cadre d'un complet épanouissement. C'est le cas de la suite décorative réalisée par Vuillard en 1894 pour Alexandre Natanson, le directeur de la célèbre *Revue blanche*, pour orner son

189. P. Bonnard: La partie de croquet *ou* Le crépuscule, *1892.*
Salon des Indépendants, Paris, 1892.
Don Daniel Wildenstein par l'intermédiaire de la Société des Amis d'Orsay, 1985.

190

190 et 191. *E. Vuillard:*
Jardins publics, *cinq des
neuf panneaux décoratifs
exécutés pour Alexandre
Natanson, 1894.
De gauche à droite:* Les
fillettes jouant,
L'interrogatoire, *legs Radot,
1978 et* La conversation,
Les nourrices, L'ombrelle
rouge, *acquis en 1929.*
192. *F. Vallotton:* Le
ballon, *1899.
Legs Carle Dreyfus, 1953.*
193. *M. Denis:* Les muses,
*1893.
Acquis en 1932.*

192

193

appartement de l'avenue du Bois, l'actuelle avenue Foch à Paris et dont le musée d'Orsay possède cinq panneaux sur neuf. L'espace y est rendu par un étagement des plans savamment rythmé par la verticale d'un tronc ou les sinuosités des bosquets. Même composition rythmique dans la version moderne que Maurice Denis donne du thème mythologique des *Muses* où l'on notera l'insistance sur les éléments décoratifs tels les feuilles de marronniers et la prédominance d'arabesques linéaires d'un esprit très Art Nouveau.

Félix Vallotton, remarquable graveur par ailleurs, traite l'espace par grandes oppositions de valeurs claires et sombres selon une perspective remontante sans horizon.

Toutes ces libertés par rapport au sujet traité, souvent accompagnées de déformations savoureuses, cette optique fondamentalement décorative font du mouvement nabi un jalon important sur la voie de l'autonomie de la peinture, un des ferments de l'art moderne.

194

Le Douanier Rousseau

Sensiblement de la même génération que les grands impressionnistes, Henri Rousseau (1844-1910), originaire de Laval, occupe une place à part dans l'histoire de la peinture au tournant du XXᵉ siècle. Simple commis à l'octroi de Paris, d'où son surnom de «douanier», il fut d'abord peintre amateur; autodidacte, il se vantait d'admirer, outre les maîtres du Louvre qu'il copiait, les grands peintres académiques de l'époque tels Gérôme. Sa vie, au demeurant médiocre, ne laisse pas d'être aussi énigmatique que son œuvre dont la modernité, pourtant controversée par certains, déroute plus d'un contemporain.

Grâce à Signac, il expose au Salon des Indépendants dès 1880 et presque sans interruption jusqu'à sa mort et figure au Salon d'Automne de 1905 aux côtés des Fauves.

Il crée un univers étrange aux résonances souvent symboliques comme dans *La Guerre* de 1894, également au musée d'Orsay, où il se souvient des primitifs italiens. Il n'hésite pas à plier les formes à son imagination et anticipe dans certaines toiles une audace picturale que cultiveront systématiquement les artistes modernes. Cela explique sans doute l'amitié que lui porteront poètes et peintres d'avant-garde tels Jarry, Apollinaire, Delaunay et Picasso qui posséda plusieurs de ses œuvres maintenant au musée Picasso à Paris.

Outre de nombreux portraits, paysages, ou scènes historiques traités dans un style volontairement naïf, il donne une série de jungles où dans une exubérante végétation tropicale réinventée lors de séances d'observation au Jardin des Plantes, des fauves attaquent des antilopes ou fixent le spectateur de leurs yeux perçants. Cet exotisme rêvé est essentiellement le support d'une luxuriance décorative au charme pénétrant. C'est le cas de la *Charmeuse de serpents* peinte en 1907 à la demande de la mère de Robert Delaunay qui évoque un éden mythique.

194. H. Rousseau dit Le Douanier: La charmeuse de serpents, *1907.*
Legs Jacques Doucet, 1936.

195. *P. Bonnard:* La Revue
Blanche, *1894.*
*Affiche lithographiée en
couleurs.*
196. *Bertall: «Le Salon
dépeint et dessiné par
Bertall»,* Le Journal pour
rire, *n° 91, 25 juin 1853,
gravures sur bois coloriées.*
197. *Granville «Derniers
dessins de J.J. Granville —
Premier rêve, Crime et
expiation», gravure sur bois
de P. Soyer pour le* Magasin
pittoresque *(1847, p. 212).*
198. *O. Redon: Gnome,
lithographie pour l'album*
Dans le rêve, *Paris,
Lemercier, 1879, pl. VI.*

195

*A la différence d'autres
albums suscités par une
référence littéraire, celui-ci
est, selon Redon, «façonné
sans aucun alliage de
littérature. Le titre (...)
n'était, en quelque sorte,
qu'une clé d'ouverture»
(lettre à Mellerio, 21 juillet
1898).*
199. *C. Schwabe:
Couverture illustrée pour* Le
Rêve *d'Emile Zola (Paris,
Marpon et Flammarion,
1892), chromolithographie
d'après une aquarelle de
1891 conservée au Cabinet
des Dessins du Louvre.*

Affiche,
livre illustré, presse

Le XIXe siècle a connu l'essor de l'illustration, au sens le plus large du terme, c'est-à-dire de l'image associée au texte, au moment où la lecture se démocratisait grâce aux progrès de l'alphabétisation ; le projet de la synthèse des arts, cher aux cénacles romantiques comme aux esthètes symbolistes, a encouragé cette rencontre entre différentes expressions artistiques. Dès le début des années 1830, des techniques récentes, comme la lithographie et la gravure sur bois de bout, ont favorisé le développement de la presse, du livre et de l'affiche ; ces techniques furent relayées dans la seconde moitié du siècle par les procédés de reproduction photomécanique, qui suscitèrent parfois des réactions, comme celles de l'estampe originale, des presses artisanales et des sociétés de bibliophiles. Au cours de la visite du musée, la galerie de la presse retrace les étapes exemplaires de l'histoire de la presse illustrée au XIXe siècle, de ses débuts satiriques (1830-1835), qui évoluent, sous le coup de la censure du dessin politique, vers la scène de mœurs (1835-1848), à l'intermède à nouveau politique de la République de 1848 qui précède la floraison de la petite presse illustrée (littéraire, théâtrale, artistique, politique, ou parfois destinée à l'enfance ou à la femme), à partir du Second Empire. Des expositions-dossiers évoqueront tour à tour, parfois simultanément, la presse, l'affiche et le livre. L'affiche de presse, comme l'affiche de librairie, constitue un domaine particulier et précoce dans l'histoire de l'affiche illustré : la lithographie en couleur reprend parfois le frontispice du livre ; souvent, elle représente le lecteur destinataire, ainsi l'acheteuse de *La Revue blanche* (1889-1903), vue par Bonnard, dans la première d'une célèbre série d'affiches pour la revue des Natanson. Quant au livre illustré, il connaît trois orientations différentes, solidaires de ses publics spécifiques, le public enfantin «découvert» notamment par Hetzel, le public populaire, le public des amateurs.

198

199

Arts graphiques

200. *P. Cézanne:* Nature morte avec grenades, carafe, sucrier, bouteille et pastèque, *vers 1900-1906.*
Aquarelle.
Acquis par dation, 1982.
201. *P. Gauguin:* Noa-Noa *(fol. 75).*
Plume, encre noire, encre de Chine, lavis d'encre de Chine et aquarelle.
Don Daniel de Monfreid, 1927.
202. *O. Redon:* Le prisonnier, *vers 1880.*
Fusain sur papier chamois.
Donation Claude Roger-Marx, 1974.
203. *G. Seurat:* La voilette, *vers 1883.*
Crayon Conté sur papier Ingres.
Acquis par dation, 1982.

Novateurs ou tenants de l'académisme, presque tous les artistes actifs entre 1870 et la fin du siècle ont largement pratiqué le dessin dans toutes ses techniques traditionnelles. La tradition ingresque trouve des échos aussi bien dans les milieux officiels les plus académiques que dans l'œuvre d'artistes aussi divers et bien représentés dans les collections tels que Puvis de Chavannes, Degas, Seurat ou Renoir, pour ne citer que quelques noms. Boudin, dont Baudelaire a loué les pastels et les aquarelles, est présent avec une précieuse série de petites études. Les impressionnistes (notamment Pissarro) et leurs successeurs ont, comme leur aîné Manet, pratiqué le dessin. A la suite de Degas, passé maître en la matière, plusieurs — notamment Mary Cassatt —, ont brillamment utilisé le pastel, dont Redon, le maître des «noirs» fit à son tour un mode d'expression d'élection. Rappelons enfin l'importance dans l'œuvre de Cézanne de ses aquarelles aux volumes transparents et ordonnés. C'est aussi l'aquarelle, mais dans un esprit fort différent, que pratiquent brillamment Signac et ses amis néo-impressionnistes. Enfin Gauguin occupe aussi une place privilégiée; le manuscrit de *Noa-Noa,* notamment, dont le texte écrit par l'artiste en collaboration avec Charles Morice est illustré d'aquarelles et de bois colorés ainsi que de divers documents et photographies, demeure une vivante profession de foi de Gauguin à travers les souvenirs de son premier voyage à Tahiti.

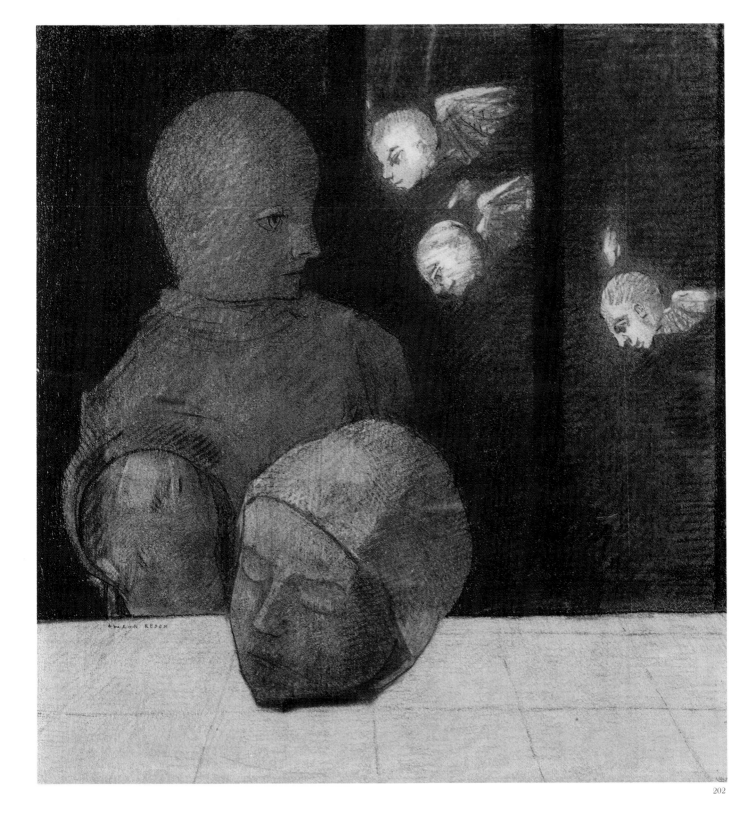

202

203

Photographie

204

Le mouvement pictorialiste, qui s'épanouit au sein des groupes sécessionnistes dans toute l'Europe et aux Etats-Unis au tournant du XIXe et du XXe siècle et trouva sa plus remarquable expression dans les pays anglo-saxons, fut une étape décisive dans la prise de conscience des possibilités créatrices de la photographie. En effet, il sut faire admettre de façon définitive le rôle joué par la vision de l'opérateur et par l'imaginaire en photographie. Il sera donc fait une large place aux œuvres pictorialistes, qui entretiennent par ailleurs des rapports étroits avec l'esthétique de l'Art Nouveau et avec les peintures impressionnistes, symbolistes et nabies dans les collections du musée d'Orsay. L'Angleterre, où les tendances littéraires et romantiques de la photographie eurent tout de suite une grande importance et où les débats et les expériences visant à assimiler la photographie à une œuvre d'art, ou même à un tableau, connurent un vif succès, fut le berceau du pictorialisme. Cameron (1815-1879), révolutionna en 1865 la conception du portrait photographique, grâce à l'utilisation systématique du gros plan et du flou, offrant avec des moyens purement photographiques qui anticipent certains effets du cinéma une transposition, tellement réussie qu'elle en demeure intemporelle, de la peinture italienne de la Renaissance. Steichen (1879-1973), l'un des membres du groupe «photo-sécession» américain — créé par Stieglitz en 1903 — et lui aussi un portraitiste hors pair, a bien médité la leçon de Cameron (1815-1879), mais sans plus chercher de référence dans un style du passé. Et, tandis que Le baiser de White (1871-1925), un autre membre du groupe, s'inspire ingénument des illustrations d'Aubrey Beardsley et des peintures préraphaélites, Stieglitz (1864-1946) symbolise en d'amples compositions prises sur le vif cette Ville de l'ambition qu'est alors New York. La scène prise en 1907 sur l'entrepont d'un bateau amenant à New York des émigrés, une image qui fascina Picasso, marque d'ailleurs, l'avènement d'une nouvelle photographie.

205

204. J.M. Cameron: Maud
(illustration pour les Idylles
du roi et autres poèmes de
Lord Tennyson, variante),
1874-1875.
Tirage charbon.

Acquis en 1985.
205. F. Evans:
L'illustrateur Aubrey
Beardsley (1872-1898), 1894.
Tirage platine.
Acquis en 1985.

206. C.H. White: Le baiser
(The kiss), 1904.
Tirage platine et gomme
bichromatée.
Don de la Société CdF
Chimie Terpolymères, 1985.

207. A. Stieglitz: La ville de
l'ambition. New York (City
of ambition), 1910.
Héliogravure sur papier
Japon 1910-1915.
Acquis en 1980.

207

206

208

209

208. A. Stieglitz:
L'entrepont (The steerage),
1907.
Héliogravure sur papier
Japon réalisée en 1915 pour
la revue 291. Acquis en 1984.

209. E. Steichen: Portrait de
l'artiste et de sa femme
pendant leur lune de miel à
Lake George, *1903.*
Tirage platine et glycérine.
Acquis en 1982.

210. *E. Barrias:* La Nature
se dévoilant à la Science,
1899.
Marbre, onyx, malachite,
lapis-lazuli, granit.
Commandé pour le
Conservatoire des Arts et
Métiers en 1899; attribué en
1903.
211. *W. Guérin et Cie,*
fabrique de porcelaine à
Limoges; E. Cavaillé-Coll,
architecte; M. Rouillard,
peintre-décorateur:
Coupe monumentale.
Porcelaine dure, décorée au
grand feu.
Modèle créé en 1882.
Entré en 1892.
212. *J.P. Aubé, sculpteur;*
Thiébaut Frères, fondeurs;
Berquin-Varangoz,
lapidaire: Souvenir des
fêtes des 6-7-8 octobre
1896.
Surtout de table, 1899.
Argent et cristal de roche.
Commande de l'Etat pour
commémorer la visite du tsar
Nicolas II en France (1896).
213. *J.P. Aubé, sculpteur;*
L.C. Boileau, architecte:
Monument à Gambetta,
1884.
Plâtre primé au concours de
1884.
Dépôt du musée des Arts
décoratifs, 1980.

210

Art et décor de la Troisième République

La Troisième République, pour s'affermir, multiplia les monuments à sa gloire. En 1879 la Ville de Paris ouvrit le concours qui fit naître le monument de la place de la République de Charles Morice et le *Triomphe de la République* de Jules Dalou (1838-1902), place de la Nation. Lorsque Gambetta mourut prématurément en 1882, l'occasion fut saisie de mettre en valeur son action : la défense du territoire et la fondation de la République. L'architecte Boileau et le sculpteur Aubé (1837-1916), qui remportèrent le concours — cette formule jugée la plus démocratique était accompagnée d'une souscription nationale — choisirent pour emplacement la cour Napoléon au Louvre. Les onze mètres qui affrontaient le palais du Second Empire furent vite critiqués. Les bronzes furent fondus sous l'Occupation ; on fit enlever les pierres en 1954. Le reste du groupe central remonté derrière la mairie du XXᵉ arrondissement pour le centenaire de la mort de Gambetta évoque mal ce complexe didactique et symbolique. Le modèle du concours, restauré par le musée d'Orsay, offre un exemple parfait de ce type de monuments qui se multiplia jusqu'au XXᵉ siècle. Aubé tailla aussi le cristal de roche pour l'un de ces surtouts qui accompagnaient les banquets où on ne semblait alors menacé ni par la fuite du temps ni par l'apoplexie.

La Science était l'un des supports de la République. La lourde allégorie de Barrias « *La Nature se dévoilant* » appartient aux certitudes positivistes. La beauté de l'onyx, de la malachite, du lapis-lazuli est un symbole moins voulu, mais plus profond, de la compréhension de la matière.

La République savait quelle était l'importance des fêtes

214

215

216

217

pour rassembler les citoyens. Le 14 juillet fut décrété fête nationale en 1880. Comme la Contre-Réforme qui engendra le style baroque, la République — notamment au cours des fêtes données à l'occasion des Expositions universelles de 1878, 1889 et 1900 — eut recours aux mêmes moyens : une exubérance démonstrative, un mouvement allègre. Le projet de Falguière (1831-1900), pour le couronnement de l'arc de triomphe de l'Etoile, présenté en cire à l'exposition des Arts décoratifs de 1882, fit l'objet d'une commande — mais en plâtre — à grandeur d'exécution. C'est le quadrige que l'on voit sur les photographies des funérailles de Victor Hugo. On ne donna pas suite. Cette cire reste le seul témoignage d'importance des multiples projets de couronnement de l'arc au XIXᵉ siècle.

Deloye (1838-1899), qui avait visité l'Europe centrale, fut inspiré lui aussi par cet art théâtral pour son groupe *Saint-Marc sur le lion*. Quant à Fremiet (1824-1910), il se rattachait à ce mouvement lorsqu'il déployait les ailes de ses Pégases sur les pylônes nord du pont Alexandre-III, mais sa vocation profonde était le réalisme historique. La réplique du *Saint-Michel* du Mont-Saint-Michel, chef-d'œuvre en cuivre martelé de la maison Monduit, est une immense girouette de 6,17 m de haut — ce qui n'empêche pas la recherche de précision dans l'armure, tout comme sur la fameuse *Jeanne d'Arc* de la place des Pyramides, commandée en 1872. Par scrupule, le sculpteur, convaincu de la justesse des critiques qu'on lui avait faites, alla jusqu'à substituer à ses frais une nouvelle statue à l'ancienne en 1899 afin que le cheval soit mieux proportionné à la cavalière.

Les bouleversements politiques des années 1870-1871, la

214. J. Coutan : Les chasseurs d'aigles, *1900.*
Plâtre.
Modèle du bronze commandé en 1893 pour la galerie de Paléontologie du Museum d'histoire naturelle par l'architecte Dutert.
215. A. Falguière : Triomphe de la révolution, *1882.*
Cire.
Projet de couronnement de l'arc de triomphe de l'Etoile. Don du général de Beylié, 1902 ; dépôt du musée de Grenoble, 1982.
216. G. Deloye : Saint Marc, *1878.*
Plâtre. Acquis en 1878.
217. E. Fremiet : Jeanne d'Arc, *1872-1874.*
Plâtre.
Réduction de la première statue équestre de la place des Pyramides à Paris. Don sous réserve d'usufruit de Mme Fauré-Fremiet, 1979 ; entré en 1984.

218

219

guerre franco-prussienne, la Commune, l'instauration de la Troisième République ne pouvaient être sans conséquences dans le domaine artistique. Les sujets s'inspirant des événements sont, dans l'immédiat, relativement peu nombreux : *L'Enigme* de Gustave Doré (1832-1883) peinte en 1871 avec deux autres compositions faisant explicitement référence à l'aigle germanique est cependant inspirée par des vers déjà anciens de Victor Hugo :

«O Spectacle. Ainsi meurt ce que les peuples font !
Qu'un tel passé pour l'âme est un gouffre profond.»

Les tableaux restèrent dans l'atelier de l'artiste et n'apparurent qu'à sa vente posthume.

Quant aux manières de peindre, elles se perpétuèrent. Jules Lefebvre (1836-1911), Prix de Rome en 1861 et peintre de tradition académique, vit sa *Vérité* du Salon de 1870, acquise par l'Etat, entrer au musée du Luxembourg en 1874, l'année même de la première exposition impressionniste.

Quelques années plus tard on assistait au désengagement définitif de l'Etat vis-à-vis de l'organisation du Salon, confié à partir de 1880 à une Société des Artistes français, sans que s'atténue l'impact de l'art le plus traditionnel. Jules Lefebvre n'est-il pas, avec Bouguereau, un des professeurs de l'Académie Julian qui reçoit et forme tant de jeunes artistes français et étrangers ?

Peintre historique, Jean-Paul Laurens (1838-1921) va atteindre son heure de gloire sous la Troisième République en se faisant le chantre de sujets nationaux, souvent reproduits jusque dans les manuels scolaires, tel *L'excommunication de Robert le Pieux* du Salon de 1875.

Les artistes plus jeunes ne sont pas insensibles aux nouveautés de l'art naturaliste, notamment avec l'abandon de la peinture lisse chez Cormon (1845-1924), pourtant fidèle à l'étude, figure par figure, du modèle à l'atelier, pour son ambitieuse composition de *Caïn*, un des clous du Salon de 1880. Quant à Jules Bastien-Lepage (1848-1884), il

220

218. *G. Doré :* L'énigme *(d'après deux vers de Victor Hugo extraits de* Les Voix intérieures, *1837), 1871. Acquis en 1982.*
219. *J.P. Laurens :* L'excommunication de Robert le Pieux. *Salon de 1875. Acquis en 1875.*
220. *J. Lefebvre :* La Vérité. *Salon de 1870. Acquis en 1871.*

F. Cormon. 80.

221

adopta une couleur claire et une touche jetée, inspirée de celle des jeunes artistes amis de Manet, et devint le champion de cette peinture naturaliste officielle qui allait envahir les Salons des années 1880-1900, et susciter quelques années plus tard la réaction des idéalistes et des symbolistes tout en faisant, hors de France, des émules nombreux et ardents.

221. F. Cormon: Caïn
(d'après les premiers vers de
La conscience, *1859, poème*
de La Légende des siècles *de*
Victor Hugo), 1880.
Salon de 1880.
Acquis en 1880.
222. J. Bastien-Lepage: Les
foins, *1877.*
Salon de 1878. Acquis en 1885.
223. E. Fremiet: Saint

Michel terrassant le dragon,
1879-1896.
Cuivré martelé par la
Maison Monduit.
Réplique de la statue
surmontant la flèche du
Mont-Saint-Michel.
Don de Mme G. Pasquier
aux Monuments historiques.
Dépôt de la Direction du
patrimoine, 1980.

146

Dalou

224. *J. Dalou:* Le forgeron,
vers 1879.
Plâtre.
Etude pour le Triomphe de
la République *de la place de
la Nation à Paris.*
Don de M. Biaggi, 1952.
225. *J. Dalou:* La
République, *vers 1879.*
Terre cuite.
Etude pour le Triomphe de
la République *de la place de
la Nation à Paris.*
*Don de Mmes Brodin et de
Massary, filles d'Etienne
Moreau-Nélaton, 1927.*

Suivant en cela l'exemple de Courbet, Daumier et Zola,
la sculpture en France redevint «réaliste», ce qu'elle n'avait
jamais cessé d'être depuis le Moyen Age. Seul l'art «savant»
arrivait à la détourner du réel dont elle restait le double
parfait. Vincenzo Vela (1820-1891) en Italie, Constantin
Meunier (1831-1905) en Belgique furent novateurs: leur
regard se pose sur leur prochain qui devient le sujet de leur
œuvre, débarrassée des arguments historiques, mythologiques ou religieux.

Jules Dalou (1838-1902) avait participé activement à la
Commune de Paris. Ayant réussi à fuir en Angleterre avec
sa famille, c'est de Londres qu'il envoya son projet pour le
Triomphe de la République en 1879, année de l'amnistie. *Le
forgeron* qui pousse la roue du char est en sabots et en
tablier, il porte sa masse sur l'épaule. Nul ne peut le
prendre pour Vulcain; c'est lui le futur héros du *Monument
au travail* qui ne sera jamais construit.

Dalou savait modeler la vie dans ses esquisses en terre
cuite. L'étude de nu pour la *République* montre toutes les
faiblesses et toutes les forces d'un corps qui est celui d'une
femme avant d'être celui d'une allégorie.

224

225

226

Sculpture : aspects du naturalisme

227

228

Le courant naturaliste a privilégié une catégorie bien précise de sujets : la vie au fond des mines, les débardeurs sur les ports, les paysans dans leur rudesse, l'industrie enfin, creuset de toutes les peines mais source de l'essor économique qui révolutionnait l'Europe. Le travail manuel, réservé aux esclaves dans les sociétés antiques, s'était imposé comme la force vive d'une nation. Reconnu comme une puissance, on s'intéressa au travailleur devenu électeur. Ses déformations, ses vêtements, son mode de vie furent un sujet d'étude. En sculpture, la science des Grecs et des Romains qu'on croyait insurpassable n'étant plus d'aucun secours, il fallut de nouveau apprendre à voir car les grammaires stylistiques longuement élaborées devenaient presque un obstacle à la perception et au rendu direct. Puis la nouveauté devint à son tour un système, une facilité. Les expériences novatrices furent absorbées en un art officiel. La vague de monuments qui accompagna l'essor de l'urbanisme et la démocratisation de la célébrité témoigne du succès de ce style accessible à tous. La production considérable de monuments aux grands hommes de cette époque et des époques antérieures (par exemple le *Lavoisier* de Dalou, la République avait enfin besoin de savants !) fournit un matériel incomparable à l'historien. Ces œuvres ayant une valeur historique ont justement été combattues. Les bronzes, par exemple, ont été fondus pendant l'Occupation. C'est pourquoi les esquisses présentées dans la salle des monuments publics sont d'autant plus intéressantes qu'elles restent parfois le seul témoignage d'une mémoire disparue.

226. C. Meunier : Débardeur du port d'Anvers, *1890.*
Bronze.
Acquis en 1890.
227. G. Devreese : Pêcheur de la Panne, *avant 1900.*
Bronze.
Entré en 1900.
228. J.A. Injalbert : Le fondeur.
Terre cuite.
Don de Mme Injalbert, veuve de l'artiste, 1933.
229. B. Hoetger : La machine humaine, *1902.*
Bronze.
Don de Mme Marcel Duchamp, 1977.

229

230

234

235

231

232

233

Vie parisienne

Grâce aux collections du musée d'Orsay, il est possible d'évoquer les images de la société parisienne et internationale des années 1890-1900, société brillante, spirituelle, élégante dont, avant Dejean (1872-1954), Moreau-Vauthier (1831-1893) avait donné le symbole en dressant la grande figure de la *Parisienne* au-dessus de l'entrée principale de l'Exposition universelle de 1900. En dehors des scènes de genre de Béraud (1849-1936), de De Nittis (1846-1884), etc., l'évocation de cette société se fait surtout par le biais de portraits peints ou sculptés. En effet, la sculpture est encore en pleine possession de sa fonction première : fixer la mémoire. Aussi, bustes, médaillons et statuettes se multiplient-ils : Gréber (1854-1941) nous a ainsi laissé des portraits fidèles sous forme de statuettes représentant ses confrères Gérôme, Fremiet, etc.

Deux personnalités toutefois retiennent davantage l'attention : Robert de Montesquiou (1855-1921) et Sarah Bernhardt (1844-1923). L'image que Boldini (1842-1931) donne du premier, «souverain des choses transitoires», esthète, écrivain symboliste, collectionneur et surtout homme du monde, est confirmée dix ans plus tard par Troubetzkoy (1866-1938) dont la virtuosité, le talent d'expression, souple, heureux, vivant, rejoignent ceux du peintre. Autour de Sarah Bernhardt, en revanche, se tisse un nœud de relations reflétant les diverses facettes de sa personnalité et illustrant les différentes tendances du portrait sculpté au tournant du siècle. Tandis que Gérôme (1824-1904) cherche à concilier une image frappante et l'évocation du talent de la tragédienne, l'amitié étroite qui unissait celle-ci à Louise Abbéma (1858-1927) et sa vocation de sculpteur apparaissent dans les portraits de caractère intime que les deux femmes échangèrent l'une de l'autre. Enfin, son fidèle admirateur, auteur du célèbre portrait conservé au Petit Palais, Clairin, est également présent grâce au buste exécuté par Barrias (1841-1905) dans la meilleure tradition du portrait psychologique français.

230. J.L. Gérôme : Sarah Bernhardt *(1844-1923), vers 1895.*
Marbre polychrome.
Legs Gérôme, 1904.
231. E. Barrias : Georges Clairin *(1843-1919) peintre, 1875.*
Terre cuite. Don de M. Petit de Villeneuve, 1922.
232. Prince P. Troubetzkoy : Le comte Robert de Montesquiou *(1855-1921) écrivain.*
Bronze. Acquis en 1980.
233. G. Boldini : Le comte Robert de Montesquiou *(1855-1921) écrivain, 1897.*
Don Henri Pinard, au nom du modèle, 1922.
234. T. Rivière : Madame Paul Jamot, *avant 1913.*
Marbre et albâtre.
Legs Paul Jamot, 1943.
235. H. Gréber :
J.L. Gérôme *(1824-1904) peintre et sculpteur, 1904.*
Marbre. Acquis en 1904.
236. L. Dejean : La Parisienne, *1904.*
Bronze. Acquis en 1904.

236

Symbolisme

237. L. Lévy-Dhurmer: La femme à la médaille *ou* Mystère, *1896.*
Don de M. et Mme Zagorowsky, 1972.
238. P. Roche: La fée Morgane, *1904.*
Bronze et plomb.
Acquis en 1904.
239. J. Carriès: Charles Ier d'Angleterre, *1887.*
Bronze.
Acquis en 1890.
240. E. Carrière: Paul Verlaine *(1844-1896), poète.*
Acquis avec la participation de la Société des Amis du Luxembourg, 1910.

Né d'une réaction intellectuelle contre l'art officiel «amolli et sans idées», le symbolisme se caractérise par un principe de transposition — «le symbole c'est la métaphore, c'est la poésie même», disait Verlaine — né des correspondances baudelairiennes, et par un appel à l'imagination: «Mes dessins inspirent et ne se définissent pas», écrit à son tour Redon. Après 1890, il trouve un terrain d'élection dans les salons de la Société nationale des Beaux-Arts autour de Rodin, Puvis de Chavannes ou Carrière (1849-1906) dont les peintures, subtils camaïeux bruns, sont particulièrement bien représentées au musée d'Orsay. Le symbolisme se complaît aux formes mouvementées, volontairement vagues ou inachevées, et fait siens les sujets les plus divers avec une prédilection toutefois pour l'expression de l'univers intérieur d'artistes aux tempéraments angoissés: tandis que Rodin ou Camille Claudel font de la passion dévastatrice le thème principal de leur œuvre, Carriès (1855-1894) insiste sur l'apaisement qu'apporte la mort: il repousse tout réalisme du chef de *Charles Ier d'Angleterre* et lui donne au contraire, grâce à sa chevelure épandue, une élégance et une douceur particulières.

Très sensibles à la matière comme Carriès, également attirés par les objets d'art et la sculpture, Roche (1855-1922), Dampt (1854-1945), Fix-Masseau (1869-1937) recherchent l'insolite: ils s'inspirent de légendes médiévales, bretonnes, etc., et font emploi de matériaux dont l'aspect subtil et précieux, souvent coloré, n'est pas sans rappeler Gustave Moreau ou Redon ou bien encore les pastels de Lévy-Dhurmer (1865-1953).

237

239

238

240

Aspects de la peinture
hors de France

Hors de France, la peinture des années 1880-1900 largement dominée par un puissant courant naturaliste revêt de multiples tendances. Celles-ci se caractérisent souvent par des réactions originales aux grands mouvements picturaux français, diversement assimilés comme l'impressionnisme, le divisionnisme... La dernière décennie se place sous le signe du symbolisme aux accents divers selon les pays.

La dame en détresse de 1882 appartient à la première période du peintre belge James Ensor (1860-1949). Fortement marqué à ses débuts par l'impressionnisme, il traite dans les années 1880 de sujets intimistes. Depuis cette date, ses toiles reflètent son intérêt pour la plongée dans le monde intérieur et son œuvre prend un ton de plus en plus symboliste, mettant en scène masques et figures grotesques qui renouent avec la tradition burlesque et macabre d'un Jérôme Bosch.

En Italie, Giuseppe Pellizza da Volpedo (1868-1907) adopte vers 1892-1895 une technique héritée du néo-impressionnisme français, tout comme Grubicy di Drago, Morbelli et surtout Segantini. D'inspiration volontiers humanitaire, Pellizza sait aussi jouer du registre symboliste comme dans *Fleur brisée* (vers 1896-1902).

Tout autre se révèle le symbolisme du Belge Léon Frédéric (1896-1940) dans son grand triptyque *Les âges de l'ouvrier* qui magnifie le labeur ouvrier en une composition accumulatrice à la limite de l'hyperréalisme, rejoignant ainsi le courant du symbolisme social qu'illustrent au même moment ses compatriotes Constantin Meunier et Eugène Laermans.

Une des figures dominantes de la peinture outre-Atlantique est le Bostonien Winslow Homer (1836-1910) qui découvre l'impressionnisme à l'occasion d'un séjour à Paris. Fasciné par le monde de la mer, il en donne avec la *Nuit d'été* une image aux résonances mystérieuses d'une grande puissance évocatrice.

242

241

245

244

Rodin

Une grande partie des terrasses du premier étage est consacrée à Rodin (1840-1917) et au groupe de jeunes sculpteurs qui se formèrent en travaillant près de lui comme praticiens : Desbois (1851-1935), Schnegg (1864-1909), Bourdelle (1861-1929) ou Camille Claudel (1864-1943) dont le chef-d'œuvre, *L'Age mûr*, inspiré par sa rupture avec Rodin, est exposé avec les œuvres de celui-ci.

Grâce à l'important dépôt de quatre grands plâtres consenti par le musée Rodin, on peut suivre au musée d'Orsay l'évolution de Rodin, depuis *l'Age d'airain*, au modelé si naturaliste en apparence, jusqu'à la *Muse Whistler* d'une telle liberté qu'elle est constituée d'éléments à peine raccordés, complétés d'une draperie simplement trempée dans du plâtre.

Les années 1880-1890 correspondent à l'élaboration de la *Porte de l'Enfer*, commandée par l'Etat en 1880, peu modifiée après 1890, et voient ses premiers succès de portraitiste : l'admiration qu'il éprouvait pour la Renaissance ita-

245. A. Rodin : La porte de l'Enfer, *1880-1917.*
Plâtre.
Dépôt du musée Rodin, 1986.
246. C. Claudel : L'Age mûr, *1894-1903.*
Bronze.
Acquis en 1982.

247. A. Rodin: A.J. Dalou *(1838-1902) sculpteur, 1884. Bronze. Acquis en 1907.*
248. A. Rodin: Madame Vicuña, *1888. Marbre. Acquis en 1888.*
249. A. Rodin: La Pensée, *vers 1886-1889. Marbre. Don de Mme Durand qui l'avait acquis de Rodin pour le musée du Luxembourg, 1902.*
250. A. Rodin: Balzac, *1898. Dépôt du musée Rodin, 1986. Plâtre photographié par Steichen (photographie musée d'Orsay, don de l'A.S.D.A., 1981).*

lienne est sensible dans le buste de *Dalou*, comme dans la *Porte de l'Enfer*, inspirée de la *Divine Comédie* de Dante. Dans cet enchevêtrement de corps que la passion conduit à l'abîme, les deux épisodes principaux sont, à gauche, le couple enlacé de Paolo et Francesca, origine du célèbre *Baiser*, et, en pendant à droite, les figures d'Ugolin et de ses enfants, qui, agrandies, devaient donner le groupe présenté au musée d'Orsay. Trop grande pour pouvoir être travaillée d'ensemble en terre, la *Porte* fut en effet modelée par fragments dont la plupart vécurent une existence indépendante (*Penseur, Fugit Amor, Ombres...*).

Par la suite, Rodin s'orienta vers un art plus abstrait, représenté par *La Pensée* (qui fait écho à cette autre image de la force créatrice de l'esprit humain qu'est le buste de *Goethe* par David d'Angers présenté à l'entrée du musée) et surtout par le *Balzac*. Parti d'études réalistes — ou visionnaires? — du nu, simplifiant et déformant — «selon moi, disait-il, la sculpture moderne doit exagérer, au point de vue moral, les formes» — il aboutit à une silhouette pyramidale conçue de façon à mettre l'accent sur la tête très grossie, symbole presque abstrait de la puissance du romancier qui suscita un tel scandale lorsqu'il fut présenté au public en 1898 que la commande fut retirée à l'artiste: le *Balzac* est pourtant considéré aujourd'hui comme son œuvre la plus novatrice.

251. *G. Serrurier-Bovy:* Lit,
vers 1898-1899.
Acajou, éléments décoratifs
en cuivre.
Acquis en 1984 avec
l'ensemble de la chambre à
coucher comprenant deux
armoires, une coiffeuse et
une psyché.
252. *V. Horta:* Chaise de
salle à manger.
Frêne.
Faisait partie du mobilier de
la salle à manger de l'hôtel
construit par Horta en 1903-
1904, avenue Louise à
Bruxelles pour l'industriel
Octave Aubecq.
Acquise en 1980 avec
d'autres meubles et boiseries
du même ensemble.

251

Art Nouveau

Le dernier tiers du XIXe siècle vit s'élaborer un profond renouvellement de l'architecture et des arts du décor dont un des aboutissements est l'Art Nouveau. Le vocabulaire de l'époque employait plus volontiers les termes d'«art moderne», de «style moderne», exprimant ainsi la volonté d'être de son temps: la Troisième République n'était-elle pas digne de posséder son style? L'expression d'art nouveau, quant à elle, n'apparaît pas avant 1890; dotée de majuscules, elle désigne à l'évidence un style.

Ses réalisations majeures s'échelonnent sur une quinzaine d'années, de 1890 à 1905 environ. Cependant, les recherches ne se situent pas exactement au même moment pour chacune des multiples branches de l'activité des artistes décorateurs, qui peuvent assimiler avec un décalage sensible les influences extérieures et nourricières. Ainsi la leçon de l'Extrême-Orient, du Japon notamment, profita rapidement à la céramique, dont la renaissance, dans la période qui s'étend entre les Expositions universelles de Paris de 1878 et 1889, est certainement le signe avant-coureur le plus perceptible de la maturation de l'Art Nouveau. Ernest Chaplet (1835-1909), Auguste Delaherche (1857-1940) et le grand Carriès (1855-1894), qui abandonna la sculpture pour se vouer au démon du feu, feront d'emblée du grès un art vrai, fort et sain. Dès 1905, l'Art Nouveau se vulgarise; ses thèmes et ses motifs ne vont cesser de dégénérer, dans des produits médiocres qui ne sont que le démarquage des créations réellement originales, jusqu'à la veille de la Première Guerre mondiale; parallèlement, s'affirme une nouvelle forme de rationalisme rejetant un vocabulaire fondé sur le mouvement et la vie, que synthétisait la sinuosité de la ligne.

Chronologiquement bref, sinon éphémère, le style Art Nouveau est cependant peu commode à cerner et à définir; il serait erroné de le considérer comme parfaitement unitaire. Certes un consensus se dégage de l'affirmation de quelques principes.

252

253

253. *H. Guimard:* Vase et socle pour jardin, *Vers 1905-1907.*
Fonte.
L'une des fontes artistiques dessinées par Guimard et exécutées par les fonderies de Saint-Dizier (Haute-Marne); fait partie des 56 fontes données par Madame de Menil en 1981.
254. *H. Guimard:* Meuble de salon formant cheminée, *vers 1897-1898.*
Palissandre.
Provient d'une propriété aménagée par Guimard aux Grévils (Loiret), contemporaine du Castel Béranger.
Acquis en 1979.

Celui de l'Unité de l'Art, par exemple (l'art est un, seules ses manifestations sont multiples), dont l'une des victoires sera, en France, l'abolition officielle de la discrimination entre arts «majeurs» et arts «mineurs»: en 1891, les arts appliqués à l'industrie accèdent au Salon annuel de la Société nationale des Beaux-Arts aux côtés de la peinture et de la sculpture. D'ailleurs, la contribution des sculpteurs au développement de l'Art Nouveau n'est pas des moindres; nombreux sont ceux qui n'hésiteront pas à mettre leur talent au service des arts domestiques. Jean Baffier (1851-1920) marquera de son robuste tempérament berrichon la vaisselle d'étain et Jules Desbois (1851-1935) cisèlera ses plats et gourdes d'argent ou d'étain de nudités féminines à l'ondoyante chevelure. Jean Dampt (1854-1945), Alexandre Charpentier (1856-1909), un temps réunis au sein de l'association au nom significatif de l'Art dans Tout, et Rupert Carabin (1862-1932), dépasseront ce stade de l'objet usuel pour atteindre à la réalisation plus ambitieuse d'ensembles mobiliers complets. Le rôle des peintres est peut-être moins décisif; cependant, dès 1884, Victor Prouvé (1858-1943) fournit à Gallé des dessins de figures humaines destinées à être gravées sur le verre et en 1895 le marchand Siegfried Bing (1838-1905) présente dans sa galerie récemment ouverte à l'enseigne de l'Art Nouveau une célèbre série de vitraux de Tiffany (1848-1933) réalisés d'après des cartons de Toulouse-Lautrec et des peintres nabis.

Un autre principe inlassablement affirmé est plus spécifiquement d'ordre formel: la construction doit avant tout être issue de la destination, la forme et le décor doivent être régis par la matière, principes on ne peut plus fonctionnels; mais souvent les résultats paraîtront aux antipodes des déclarations.

A dire vrai, malgré ces principes communs, malgré une volonté identique de marquer la distance à l'égard des modèles anciens, de se libérer du «venin archéologique»

254

255

selon l'expression de Gallé — mais là encore l'opposition à l'art «officiel» fortement exprimée verbalement se tempère dans la pratique —, malgré une foi universelle en la possibilité de créer pour des temps modernes des formes et un décor nouveaux, les langages n'en sont pas moins différents et les formules pourront même apparaître contradictoires selon les lieux de leur création (Bruxelles, Paris, Nancy, Vienne, Glasgow...) à la fois pour des raisons historiques, culturelles et de sensibilité toute personnelle. Rien d'étonnant donc à ce que la production des différentes capitales de l'Art Nouveau soit si dissemblable.

L'Art Nouveau poursuit un idéal organique visant à réunifier la forme et le décor. Il s'appuie en grande partie sur la logique médiévale et naturaliste telle que l'a enseignée Viollet-le-Duc (1814-1879): l'épanouissement des lignes doit être libre, la structure et le décor ne font qu'un, l'ornement a pour fonction majeure l'illustration de la structure. A Bruxelles et Paris, les architectes Victor Horta (1861-1947) et Hector Guimard (1867-1942) parviennent d'emblée à des conceptions nouvelles, le premier avec l'hôtel Solvay (1894-1898), le second avec le Castel Béranger (1894-1898). Chez eux le leitmotiv de la décoration est donné par l'asymétrie et les lignes ondoyantes. Refusant tous les éléments qui ne s'harmonisent pas avec leur style ou ne s'intègreraient pas à lui, ils dessinent tout jusqu'aux poignées et boutons de portes, crémones de fenêtres, carreaux de salles de bains... Leur vocabulaire — Guimard parlait non sans orgueil de «style Guimard» — se retrouve dans les matériaux les plus divers: bois, fonte, fer, cuivre, verre,... relevant d'une volonté de parvenir à une expression d'art complète. De façon générale, la prédilection pour l'asymétrie qui avait déterminé l'emploi des lanières de fouet s'atténue: le mobilier de l'hôtel Aubecq (1902-1904) est plus sobre et plus contenu que celui de l'hôtel Solvay, les modèles de fontes conçus par Guimard et exécutées par les Fonderies de Saint-Dizier (1903-1907) sont plus harmonieux et moins chiffonnés que ceux du Castel Béranger. Chez Gustave Serrurier-Bovy (1858-1910) qui, lui, veut se situer dans la tradition du mobilier populaire en se référant aux principes des *Arts and Crafts*, les courbes sont utilisées

166

259

comme éléments de liaison et non pour souligner la structure. A la différence de Horta et Guimard, il emploie des éléments décoratifs en métal qui, plaqués sur les meubles, en animent les parties plates.

Pour les membres de l'Ecole de Nancy, c'est exclusivement la Nature qui est jugée la seule et inépuisable source du renouvellement. L'existence légale de l'Ecole de Nancy date de 1901, mais en fait ses statuts sont une codification tardive d'un mouvement qui n'avait cessé de se développer pendant les trente dernières années du XIXᵉ siècle. L'âme en fut Emile Gallé (1846-1904), «homo triplex» selon le mot de son concitoyen Roger Marx (1859-1913), c'est-à-dire à la fois céramiste, verrier et ébéniste. Infatigable quêteur d'inédit il mena une recherche longue et passionnée, accumulant inventions techniques et décoratives, et utilisant les modèles naturels avec une fantaisie débordante, un sens raffiné des nuances et de l'ornement. Son immense compétence technique n'est jamais gratuite : procédés et recherches sont les interprètes de l'imagination du penseur ;

258. H. de Toulouse-Lautrec et L.C. Tiffany : Au Nouveau cirque, Papa Chrysanthème, 1894-1895. Vitrail, verres jaspés, imprimés, doublés et cabochons. Don Henry Dauberville au nom de ses enfants Béatrice et Guy-Patrice Dauberville, 1979.
259. R. Lalique : Pendant de cou, vers 1903-1905. Or, émaux, brillants et aigue-marine. Acquis en 1983.
260. E. Chaplet : Vase. Porcelaine dure, décor flambé de grand feu. Exposition universelle, Paris, 1900. Acquis en 1900.
261. J. Carriès : Cache-pot. Grès émaillé, rehauts d'or. Salon de la Société nationale des Beaux-Arts, Paris, 1892. Acquis en 1892.
262. E. Feuillâtre : Bonbonnière. Cristal, émaux et argent. Salon des Artistes français, Paris, 1904. Acquis en 1904.

260

261

262

263

264

sujet et matière se pénètrent, se confondent pour former un tout inséparable. Son parti naturaliste va aider les autres artistes locaux à s'engager sur la voie de la nouveauté. Eugène Vallin (1856-1922) et Louis Majorelle (1859-1926), les deux grands ébénistes de l'Ecole de Nancy, délaisseront les pastiches du Moyen Age ou du XVIIIe siècle pour trouver leur style propre. Leurs réalisations, auxquelles le fini du travail et la qualité du matériau confèrent une valeur de tout premier plan, témoignent d'une remarquable capacité à intégrer l'ornement au lieu de le plaquer artificiellement.

263. L. Majorelle: Chevet «nénuphars», vers 1905. Acajou, amourette, marqueterie de bois variés, bronze doré. Acquis en 1980. 264. E. André, architecte; E. Vallin, menuisier-ébéniste; J. Gruber, maître verrier: Porte à deux battants provenant du salon d'essayage des magasins *François Vaxelaire construits à Nancy en 1901. Acquis en 1983. 265. R. Carabin: Bibliothèque, 1890. Noyer et fer forgé. Salon de la Société nationale des Beaux-Arts, Paris, 1891. C'est le premier des vingt meubles réalisés par Carabin. Acquis en 1983.*

266

266. *J. Dampt:* Elément de boiserie *de la Salle dite du Chevalier conçue et réalisée de 1900 à 1906 pour la comtesse René de Béarn. Orme, frêne et chêne, incrustations de nacre. Dépôt du musée des Arts décoratifs à qui l'ensemble a été donné en 1927.*

267. *A. Charpentier:* Salle à manger *réalisée en 1901 pour la villa du banquier Adrien Bénard à Champrosay. Boiserie d'acajou; fontaine et carreaux en grès émaillé de A. Bigot; ferrures des meubles, des portes et des fenêtres en bronze doré. Acquis en 1977.*

268. *Thonet frères, Vienne, manufacture de meubles en bois courbé:* Chaise n° 4. *Hêtre teinté, siège canné. Acquis en 1984.*

269. *Thonet frères, Vienne, manufacture de meubles en bois courbé:* Chaise n° 51. *Hêtre noirci, siège canné. Modèle de siège sans doute dessiné par August Thonet pour l'hôtel Astoria à New York en 1888. Acquis en 1984.*

270. *J. & J. Kohn, Vienne manufacture de meubles en bois courbé; A. Loos, architecte:* Chaise de café. *Hêtre vernis; siège canné. Modèle de siège dessiné par Loos en 1898 pour le Café Museum à Vienne. Acquis en 1981.*

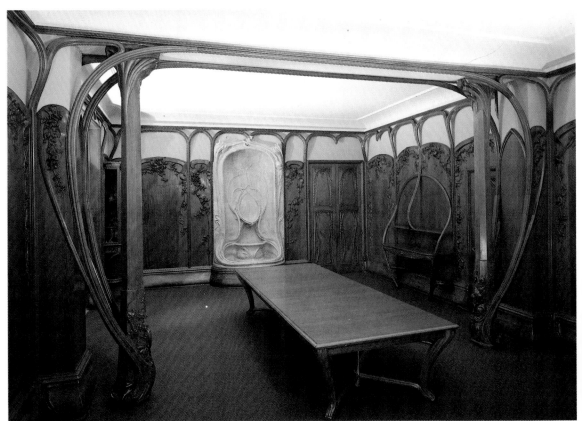

267

Glasgow, Vienne, Chicago

Dès le début des années 1890, l'Art Nouveau s'étend à toute l'Europe et aux Etats-Unis. En 1894, O. Wagner (1841-1918) crée, avec le pavillon du métro aérien de la Karls-platz, la première construction moderne de Vienne. La même année, à Chicago, L. Sullivan (1856-1924) achève l'immeuble du *Stock Exchange*, dont le puissant décor est traité comme une excroissance organique de la structure.

Les grandes foires universelles qui se succèdent sont l'occasion de confrontations et donnent lieu à de multiples publications : Chicago (1893), Bruxelles (1897), Paris (1900), Turin (1902), Saint Louis (1904), etc. Les exposi-tions annuelles organisées par les artistes d'avant-garde — *La Libre Esthétique* à Bruxelles, la *Sécession* à Vienne — sont aussi des foyers de rencontres internationales. Les revues d'art, abondamment illustrées, diffusent les der-

268

269

270

nières créations. C.R. Mackintosh (1868-1928) est alors plus connu pour son œuvre de décorateur publié dans des revues et présenté à l'étranger (particulièrement à Vienne en 1900), que par ses principales constructions à Glasgow.

Pourtant, l'adhésion générale au «modern style» international est de courte durée. Les relations étroites qui se nouent entre les artistes de Glasgow et de Vienne donnent naissance à un formalisme radical tendant vers l'abstraction géométrique. J. Hoffmann (1870-1956) et K. Moser (1868-1918), lorsqu'ils fondent en 1903 la *Wiener Werkstätte* — ensemble d'ateliers d'art industriel — suivant le modèle des guildes artisanales anglaises, se soucient bien davantage de proposer de nouvelles formes d'expression esthétisantes à une bourgeoisie éclairée que de produire des objets bon marché.

Les architectes viennois commencent seulement, au tournant du siècle, à s'intéresser au mobilier de bois courbé, dont le système de production et de commercialisation à l'échelle mondiale a été mis au point trente ans auparavant par un pionnier de l'industrie, Michael Thonet. Loos, Siegel, Hoffmann et Wagner fournissent alors quelques-uns des prototypes les plus parfaits du mobilier du XXe siècle.

En marge de la *Sécession*, dont il critique dans ses chroniques polémiques le rigorisme excessif, A. Loos (1870-1933) se fait l'ardent défenseur d'un fonctionnalisme mieux adapté aux conditions de vie moderne, et bien révélateur de son admiration pour le nouveau monde américain.

A la même époque, aux Etats-Unis, F.L. Wright (1869-1959) a réussi une parfaite intégration de l'architecture à la nature environnante dans ses «maisons pour la prairie» et est déjà parvenu, anticipant de quelques années sur l'avant-garde européenne, à une forme d'abstraction pure (vitraux de la maison Coonley, 1908).

271

272

271. Wiener Werkstätte,
ateliers d'artisanat fondés à
Vienne en 1903; K. Moser,
peintre et dessinateur
industriel:
Corbeille, *vers 1903-1904.*
Tôle laquée et nickelée.
Acquis en 1986.
272. F.L. Wright, *architecte:*
Chaise. *Chêne et cuir.*
Provient de la maison
d'Isabel Roberts, River
Forest, Illinois, construite par
Wright en 1908.
Acquis en 1982.
273. C.R. Mackintosh,
architecte: Commode et
miroir de toilette.
Bois peint, ébène et nacre,
bronze argenté, verre.
Provient de la maison de
Catherine Cranston,
Hous'hill, à Glasgow
réaménagée par Mackintosh
en 1904.
Acquis en 1985.
274. J. & J. Kohn, *Vienne,*
manufacture de meubles en
bois courbé; J. Hoffmann,
architecte:
Fauteuil à dossier réglable,
vers 1905.
Hêtre et contreplaqué
découpé, vernis façon
acajou, fer.
Acquis en 1986.

273

274

173

275

276

277

Maillol, Bourdelle, Bernard

«L'œuvre d'art accomplie sera celle (...) où les qualités les plus contraires, les plus contradictoires en apparence : force et douceur, tenue et grâce, logique et abandon, précision et poésie — respireront si aisément qu'elles paraîtront naturelles et pas surprenantes du tout. Ce qui fait que le premier renoncement à obtenir de soi, c'est celui d'étonner ses contemporains.» Cette nouvelle esthétique formulée ici par André Gide apparaît comme une réaction à la fois contre Rodin et l'art officiel.

Si les lignes ondoyantes de sa *Danseuse* ne sont pas sans rappeler ces formes mouvementées chères au symbolisme puis à l'Art Nouveau, c'est à Maillol (1861-1944) pourtant que l'on doit la première et éclatante manifestation de ce que l'on appelle le *retour au style* avec le modèle de la *Méditerranée* au Salon d'Automne de 1905. Immobile et silencieuse, celle-ci contrastait vivement avec les figures «pantelantes, inquiètes, signifiantes, pleines de pathétique clameur» présentées par Rodin au même Salon : «... La grande femme assise de M. Maillol. Elle est belle, elle ne signifie rien (...). Je crois qu'il faut remonter loin en arrière pour trouver une aussi complète négligence de toute préoccupation étrangère à la beauté» écrivit Gide à ce propos. Maillol détermine un point de vue privilégié et simplifie la composition : pas de torsion, pas de membres parallèles, mais des éléments distincts, définis avec rigueur et remplissant complètement le champ qui leur est alloué, dans le cas des reliefs, de façon à ce que, fut-il enlevé, le cadre s'impose à l'esprit du spectateur par leur seule disposition. La même volonté de simplification apparaît également dans le traitement de la surface dont rien ne vient plus entamer la régularité.

De son côté, Bourdelle (1861-1929) sentit après 1900 la nécessité de mettre fin au romantisme expressif qui avait marqué ses années de jeunesse : renouant avec l'archaïsme grec, il exécute alors la *Tête d'Apollon* (1900-1909), la *Pénélope* (1905-1908) et surtout l'*Héraklès archer* où il fait

275. A. Maillol: La Méditerranée, *1923-1929. Le modèle en fut exposé au Salon d'Automne, Paris, 1905. Marbre commandé par l'Etat, 1923. 276. A. Maillol:* Le Désir, *1905-1907. Plomb. Attribué par l'Office des biens privés, 1951. 277. A. Maillol:* Danseuse, *1895. Bois. Legs de Mme Thadée Natanson, 1953.*

278

preuve d'une extraordinaire maîtrise dans la composition, la répartition des vides, l'indication des tensions : «Le mouvement d'une incroyable audace de cet archer en équilibre dans l'air (...) cette humanité qui semble bondissante dans l'immobilité même, ces modelés sommaires et justes, pleins et vibrants, c'est une des plus prodigieuses tentatives de l'art vivant» (Ch. Morice).

Comme Gauguin, Lacombe et Maillol à ses débuts, Joseph Bernard (1866-1931) adopte la *taille directe*; mais tandis que ceux-ci n'avaient guère sculpté que le bois, après l'*Effort vers la nature*, dont le titre autant que l'aspect massif, primitif, souligne la volonté d'union étroite entre la forme et la matière, lui n'hésite plus à attaquer des blocs de grande dimension, ouvrant ainsi la voie à Moore, Modigliani, Epstein, Brancusi... Les figures qu'il en fait jaillir diffèrent de celles de Maillol par une souplesse et une recherche de rythme — particulièrement sensibles dans la *Porteuse d'eau* de 1912 — qui leur donnent une dimension spirituelle où s'affirme le mysticisme de son tempérament.

278. J. Bernard : Effort vers la nature, *vers 1906-1907. Pierre, taille directe. Don Jean Bernard, 1980. 279. E.A. Bourdelle :* Héraklès archer, *1909. Bronze. Acquis en 1924.*

280.

Après 1900

La cohésion du groupe nabi en tant que tel ne s'étend guère au-delà de 1900, période à partir de laquelle chacun poursuit une évolution originale sans toutefois renier ses anciennes amitiés. Après une période marquée par un retour à plus de réalisme, notamment dans ses portraits, Bonnard s'engage à fond dans la voie de la couleur qui s'exprime avec un singulier bonheur dans ses nus et ses natures mortes. Tout en restant en marge des grands mouvements picturaux du début du XXᵉ siècle, fauvisme, cubisme ou abstraction, il continue d'explorer les virtualités spatiales de la peinture, s'attachant à rendre sur la toile dans des vues plongeantes comme *En barque* la totalité du champ visuel. Cette vaste composition prélude aux somptueuses visions panoramiques qu'il déploiera dans ses paysages de Vernon ou du Cannet.

De leurs années nabies, Bonnard, Vuillard, Denis et Roussel garderont le goût de la peinture décorative. Après les ensembles réalisés pour Claude Anet et Henri Bernstein, Vuillard décore la villa des Bernheim, grands marchands de tableaux parisiens, à Villers-sur-Mer. Il restera, par ailleurs, fidèle à ses sujets intimistes en peignant de très nombreux portraits; ceux que conserve le musée d'Orsay évoquent certaines des personnalités les plus en vue de l'époque, la comtesse Jean de Polignac ou Jeanne Lanvin, par exemple.

Dans ses vastes compositions aux couleurs vives, Roussel développe des thèmes mythologiques qu'il traite avec un grand dynamisme comme *L'enlèvement des filles de Leucippe*. Ses pastels sont également peuplés de faunes et de nymphes.

Un important chantier réunira en 1912-1913 plusieurs anciens nabis: le théâtre des Champs-Elysées construit par les frères Perret dont la coupole sera confiée au pinceau de Maurice Denis tandis que Vuillard et Roussel décoreront respectivement le foyer et le rideau de la scène contiguë de la Comédie des Champs-Elysées.

281

282

283

281. *K.X. Roussel:*
L'enlèvement des filles de
Leucippe, *1911.*
Acquis en 1935.
282. E. Vuillard Les dames
Natanson brodant sous la
véranda.
Un des sept panneaux
décoratifs exécutés pour la
villa des Bernheim, «Bois-

Lurette», *à Villiers-sur-Mer,*
1913.
Don Henry Dauberville au
nom de ses enfants Béatrice
et Guy-Patrice Dauberville, 1979.
283. M. Denis: Maquette de
la coupole du théâtre des
Champs-Élysées, *1912.*
Détrempe sur plâtre.
Acquis en 1983.

En plein apogée du symbolisme et de l'Art Nouveau, l'Exposition universelle qui ouvre ses portes à Paris en 1900 montre avec évidence l'essoufflement de la créativité dans la plupart des pays occidentaux, malgré la présence de grands maîtres issus de la génération des impressionnistes, Monet, Cézanne, Renoir ainsi que Gauguin ou Bonnard. La transition entre les deux siècles sera brutale, rapide, et la modernité sera conduite par des artistes en majorité jeunes et nouveaux. Il reste pourtant évident que l'art du XXᵉ siècle n'apparaît pas sans racines: Gustav Klimt (1862-1918), Ferdinand Hodler (1853-1918) et Edvard Munch (1863-1944), par exemple, tout en étant fortement liés au mouvement symboliste, n'en sont pas moins des précurseurs directs de l'expressionnisme allemand.

En France, à côté des innovations fondamentales de Perret et de Sauvage en architecture, de Maillol en sculpture, deux nouveaux mouvements de peinture apparaissent entre 1905 et 1907: le fauvisme, révélé au Salon d'Automne de 1905, et le cubisme dont on situe la naissance avec les *Demoiselles d'Avignon* de Picasso (1907, New York, M.O.M.A.). Si le cubisme, malgré ses origines cézanniennes, est un mouvement complètement tourné vers l'avenir et appartient en totalité à notre siècle, le fauvisme, à l'existence si brève, ne fut qu'un moment de recherche, prolongement coloriste de l'esthétique du post-impressionnisme. Cette raison explique la présentation de quelques peintures fauves au musée d'Orsay, et en particulier *Luxe, Calme et Volupté* d'Henri Matisse (1904-1905) qui permet de comprendre la continuité avec les divisionnistes. Matisse (1869-1954) fut, avec ses amis Rouault (1871-1958) et Marquet (1875-1947), élèves comme lui de l'atelier de Gustave Moreau, parmi les protagonistes principaux du mouvement auquel adhère, pour un temps, Georges Braque (1882-1963). A leurs côtés, Derain (1880-1954) et Vlaminck (1876-1958) — l'Ecole de Chatou — semblent avoir été les héritiers directs de Van Gogh, se rapprochant par cela des expressionnistes allemands.

285

285. *G. Klimt:* Rosiers sous
les arbres, *vers 1905.*
Acquis en 1980.
286. *E. Munch:*
Nuit d'été
à Aasgaarstrand, vers 1904.
Acquis en 1986.
287. *A. Derain:* Le pont de
Westminster, *vers 1906.*
Donation Max et Rosy
Kaganovitch, 1973.

288

289

Arts graphiques

Les Nabis, très attirés par tous les moyens d'expression graphique — estampes, affiches, illustrations de livres, etc. — ont laissé de très nombreux dessins. Bonnard est sans doute à cet égard le plus attachant d'entre eux. Croquis rapides, pastels ou aquarelles plus élaborées témoignent de la variété de son inspiration. Dans un esprit différent, Steinlen évoque avec verve son époque. L'important fonds d'œuvres de Cappiello se rattache essentiellement au renouveau de l'affiche à la fin du siècle, illustré par ailleurs par Chéret et Toulouse-Lautrec. Les symbolistes — comme le fut un de leurs inspirateurs, Gustave Moreau, bien représenté dans les collections — ont été aussi des dessinateurs ; les œuvres d'un Lévy-Dhurmer ou d'un Carlos Schwabe sont de celles que le goût contemporain a remis en lumière. C'est d'ailleurs à ce même courant que peuvent se rattacher, dans des registres différents, l'Italien Segantini, le Belge Spilliaert, le Néerlandais Toorop, ces derniers entrés récemment dans les collections comme l'importante série de Mucha qui touche à l'Art Nouveau.

290

288. L. Spilliaert: Clair de lune et lumières, *vers 1909. Lavis à l'encre de Chine et pastel. Don de Mme Madeleine Spilliaert, fille de l'artiste, 1981. 289. J. Toorop:* Le Désir et l'Assouvissement, *1893. Pastel sur papier beige. Acquis en 1976. 290. A. Mucha:* Planche pour les Documents décoratifs. *Crayon et gouache blanche sur carton beige. Don Jiri Mucha, 1979. 291. P. Bonnard:* Projet d'ensemble mobilier *(détail). Plume et aquarelle. Don de Mlles Alice et Marguerite Bowers, 1984.*

291

187

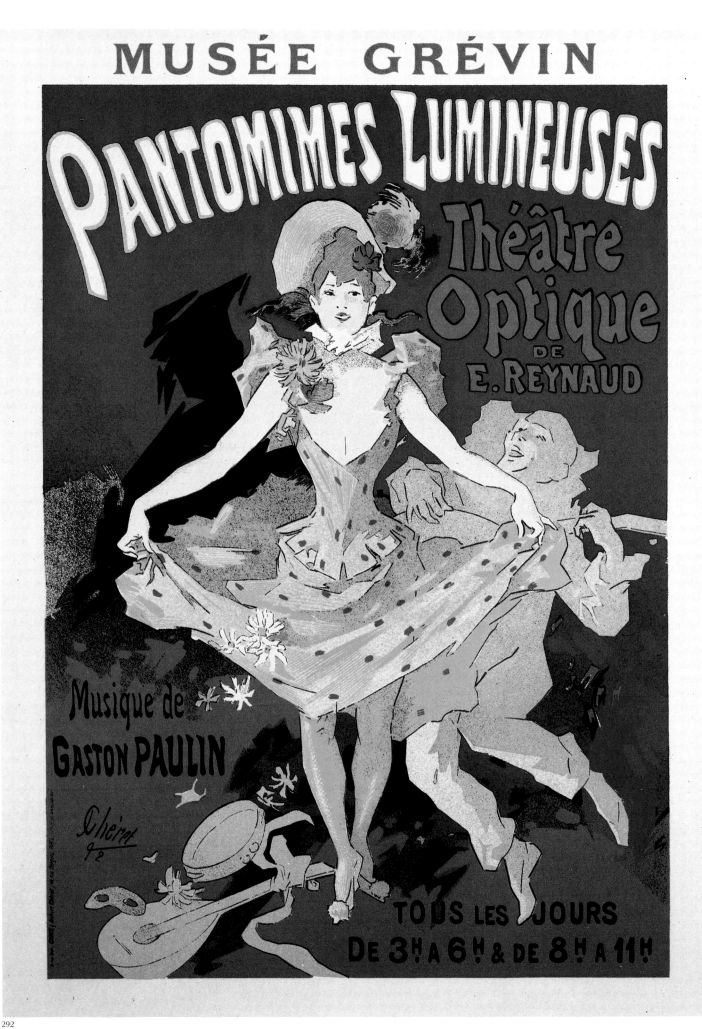

Naissance du cinéma

L'invention du cinématographe représente pour les hommes du XIXe siècle la réalisation d'un rêve qui, venu des temps les plus lointains, ne cessa de les obséder : celui de saisir le réel, de le fixer, de le restituer, rêve d'un siècle positiviste, assoiffé de réalité, soucieux de s'emparer de l'Univers, afin de se le soumettre totalement.

A résoudre ce rêve, bien des hommes s'appliquèrent très tôt, imaginant de multiples jeux d'optique et de nombreux spectacles destinés à donner l'illusion du mouvement : *camera oscura*, ombres chinoises, spectacles de lanternes magiques. Cependant, l'histoire de la cinématographie ne débute qu'en 1829 lorsque le physicien belge Plateau énonce la loi de la persistance des impressions rétiniennes : «Les sensations produites en nous par la lumière ont une certaine durée... Les impressions décroissent graduellement, de sorte qu'il est impossible de saisir avec précision l'instant où elles s'évanouissent... La durée totale de l'impression est d'environ 1/3 de seconde.» Les principes scientifiques de la cinématographie sont dès lors bien établis et mis en évidence par une multitude de jouets d'optique : *thaumatrope* du docteur Paris, *phenakistiscope* de Plateau, *praxinoscope* d'Emile Reynaud (1844-1918), que celui-ci ne cesse de perfectionner, inventant successivement le *praxinoscope-théâtre*, puis le *praxinoscope à projection* (1882) et enfin, *le théâtre optique* qui font de lui le plus authentique précurseur du cinéma.

En effet, pour inventer le cinématographe, il suffisait dès lors d'appliquer les procédés de Plateau à la photographie. Ce fut d'abord l'œuvre de l'Américain Muybridge et du

292. Pantomimes lumineuses, Théâtre optique d'Emile Reynaud, affiche de J. Chéret, *1898. Emile Reynaud, dont l'invention fut brevetée en 1888, présenta son spectacle au musée Grévin à Paris de 1892 à 1900.*
293. Praxinoscope-théâtre de la fin du XIXe siècle. *Acquis en 1983.*

293

LE CINÉMATOGRAPHE

SALON INDIEN

GRAND CAFÉ

14, Boulevard des Capucines, 14

PARIS

*Cet appareil, inventé par MM. Auguste et
Louis Lumière, permet de recueillir, par des séries
d'épreuves instantanées, tous les mouvements qui,
pendant un temps donné, se sont succédé devant
l'objectif, et, de reproduire ensuite ces mouvements
en projetant, grandeur naturelle, devant une salle
entière, leurs images sur un écran.*

SUJETS ACTUELS

1 La Sortie de l'Usine LUMIÈRE à Lyon.
2 La Voltige.
3 La Pêche aux Poissons Rouges.
4 Le Débarquement du Congrès de Photographie à Lyon.
5 Les Forgerons.
6 Le Jardinier.
7 Le Repas.
8 Le Saut à la Couverture.
9 La Place des Cordeliers à Lyon.
10 La Mer.

294   295

294. Affichette *annonçant
la projection du 28 décembre
1895, première séance
publique de cinématographe
(Lyon, coll. Institut
Lumière). Ces premières
«vues» sont aujourd'hui de
grand classiques du cinéma.*
295. Entrée du train en
gare de La Ciotat, *extrait
du film des Frères Lumière,
1895.*

physiologiste français Jules Marey. Tous deux développè-
rent la *chronophotographie,* «production photographique
d'images successives, prises à des intervalles de temps
exactement mesurés». A ces savants qui réussissaient si
bien à décomposer le mouvement, il restait à résoudre le
problème de sa synthèse.

C'est aux frères Lumière que revient le mérite d'avoir su
effectuer, en un seul appareil, la synthèse de ces multiples
recherches. Le cinématographe naquit le 28 décembre
1895 au Grand Café. Ce jour-là, un public médusé découvrit
avec émerveillement «*L'entrée du train en gare de La
Ciotat, La sortie des usines Lumière, Le déjeuner de Bébé.* La
vie «était saisie sur le vif», l'antique rêve était réalisé!

Le cinématographe était d'abord un appareil. Il donna
très vite lieu à une industrie. Les premières années du XXᵉ
siècle virent la naissance de deux grandes firmes cinéma-
tographiques : Pathé et Gaumont. Il devint également un
spectacle, avant tout populaire, diffusé en les lieux les plus
divers : cafés, music-halls, baraques foraines, cafés-
concerts, grands magasins, écoles et même paroisses. Ses
premiers créateurs s'appellent Lumière, Mélies, Zecca,
Linder, Edison, Williamson... Leur production est très
variée : cinéma réaliste ou «films à trucs», comiques, actua-
lités reconstituées, cinéma religieux. Le cinéma reste pourtant longtemps tributaire de sa popularité. Il est «méprisé»
par les élites. Laffitte tente en 1908 de lui donner des lettres
de noblesse en créant le *film d'art* (*L'assassinat du duc de
Guise*) qui n'est autre que du théâtre filmé et se révèle un
échec. Cet échec marque cependant une étape décisive
dans l'histoire du cinématographe : celle de la prise de
conscience de sa spécificité par rapport au théâtre et, de là,
date sa volonté d'autonomie qui allait en faire l'un des
grands arts du XXᵉ siècle.

L'Histoire
au musée d'Orsay

Le musée d'Orsay, musée de la création artistique de la seconde moitié du XIXᵉ siècle, consacre plusieurs espaces à l'évocation de l'Histoire. Le premier d'entre eux, intitulé «Ouverture sur l'Histoire», situé dans l'espace d'accueil, retrace rapidement à l'aide d'objets, d'images, de sculptures (*L'Alsace et la Lorraine* de Dubois, les bustes des présidents de la République...) et de peintures (*L'incendie des Tuileries* de Clairin, *Jules Ferry recevant les délégués des colonies* de Frédéric Régamey...), appartenant aux collections du musée d'Orsay ou prêtés par d'autres musées, l'histoire politique, sociale et économique de 1848 à 1914. La perspective en est avant tout chronologique et essentiellement française. Ce lieu de références peut sembler trop rapide. Il faut le percevoir comme une vraie double introduction, d'abord à la visite du musée et ensuite à un deuxième espace historique: «La Galerie des Dates», à vocation plus encyclopédique et plus pédagogique.

Dans cette «Galerie des Dates» sont installées une série de consoles informatiques audiovisuelles, que le visiteur peut interroger, année par année, de 1848 à 1914. Il peut ainsi prendre connaissance des principaux événements non seulement politiques, économiques et sociaux, mais aussi artistiques, culturels et scientifiques de l'année choisie, lesquels lui donnent accès, s'il souhaite poursuivre son interrogation, aux thèmes historiques essentiels qui traversent la période (le développement de l'instruction, l'Eglise et l'Etat, le radicalisme, la condition de la femme, la mine, les Expositions universelles, l'impressionnisme, la statuomanie, progrès de la santé et de l'hygiène, vers les mathématiques modernes...) ainsi qu'aux biographies des grands hommes du temps: Lamartine, Thiers, Gambetta, Carpeaux, Rodin, Manet, Darwin, Claude Bernard, Pasteur, Hugo, Flaubert, Offenbach, Gounod, Apollinaire, Alfred Jarry, Dickens... Un total de 600 événements, 200 thèmes et 200 biographies illustrés par 15 000 images et vingt heures de «récit» sont ainsi offerts à la curiosité du public.

Enfin, un troisième espace se trouve consacré spécifiquement à l'histoire de la presse, grande pourvoyeuse d'informations et d'images, qui ne sont pas sans relations avec le domaine artistique, lorsqu'elles ne sont pas elles-mêmes des œuvres d'art.

Pourquoi l'Histoire au musée ? La première réponse est simple. Il a paru bon de rappeler au visiteur les grandes références chronologiques de la période couverte par le musée, de le plonger ensuite au cœur de l'époque qui a fait naître l'ensemble des œuvres qu'il découvrira au fil de sa visite. Ces simples références, ces images sont destinées à celui qui souhaite savoir ce qui se passait dans le monde politique et culturel au moment où Flaubert écrivait *Madame Bovary*, au moment où Manet peignait l'*Olympia*, au moment où Maillol sculptait la *Méditerranée*. Par la mise en évidence de certains rapprochements, de certaines proximités rendues invisibles par le choix d'une présentation stylistique (qui sait par exemple que *La naissance de Vénus* de Bouguereau est de la même année que *Le rêve* de Redon ?), l'Histoire peut aussi conduire à la réflexion sur les conditions matérielles de la production artistique, sur le statut de l'artiste, peintre, sculpteur, graveur, photographe, écrivain, musicien, dans la société, sur le statut de toute œuvre d'art dans une société donnée. Informer, suggérer sans jamais dicter, telles sont quelques-unes des raisons qui justifient la présence au musée d'Orsay de l'Histoire tenue volontairement à l'écart du circuit principal du musée afin également de satisfaire celui qui pense que l'Histoire n'est nullement indispensable à la perception et au plaisir esthétique de l'œuvre d'art.

La musique
au musée d'Orsay

Les activités musicales du musée d'Orsay permettent d'évoquer la richesse exceptionnelle de la création musicale, dans ses rapports avec les arts de la période 1848-1914 et cela, par des expositions, mais aussi et surtout, des concerts.

La «mise en musique» du musée se situe en quelques lieux privilégiés: l'auditorium (385 places) se prête à l'organisation de concerts de musique de chambre, en soirée, dont l'ambition est de tenter un inventaire de la création européenne dans ses œuvres les plus achevées mais aussi celles que le courant de l'histoire a injustement délaissées. Des cycles permettront d'écouter, au fil des saisons, l'intégralité de l'œuvre pianistique, mélodique et de chambre de quelques auteurs majeurs, comme Brahms, Schumann, Debussy, Fauré, Ravel...

La Salle des Fêtes du Palais d'Orsay, restaurée et consacrée aux groupes sculptés de l'époque Troisième République, constitue un lieu idéal pour évoquer les fastes des salons bourgeois au tournant du siècle, en des concerts à la programmation plus légère et plus brève, donnés en fin d'après-midi. Certains de ces «petits concerts» sont également offerts à l'auditorium à l'heure de midi, à l'intention de ceux qui, nombreux, travaillent non loin du musée d'Orsay. Mais la musique est encore présente dans le cadre des activités destinées au jeune public; son histoire trouve sa place parmi les conférences et colloques du musée d'Orsay; les projections de films muets lui donnent la place que lui réservaient les représentations du cinématographe durant bien des années; la musique de divertissement est présente, régulièrement, dans le cadre rénové du restaurant où l'on se propose de renouer avec la tradition de la musique des grands cafés, le dimanche après-midi.

A titre exceptionnel, la grande nef du musée accueille des concerts à grands effectifs où sont recréées quelques-unes des pages majeures du répertoire symphonique et choral de la seconde moitié du XIXᵉ siècle.

296

296. E. Degas: L'orchestre
de l'Opéra, *vers 1868-1869.*
Au premier plan Désiré
Dihau, basson, ami de
Degas; à l'avant-scène le
compositeur E. Chabrier qui
fut aussi un grand
collectionneur d'œuvres de
Manet et des
impressionnistes.
Acquis de Marie Dihau,
sœur du modèle, sous réserve
d'usufruit, 1924; entré en
1935.

Le disque, enfin, sous forme de rééditions historiques ou d'enregistrements réalisés à l'occasion de concerts aux programmes inédits, ainsi que les retransmissions réalisées par Radio-France, apportent une image vivante des activités musicales du musée d'Orsay, tant en France qu'à l'étranger.

La littérature
au musée d'Orsay

En 1848 commence la publication des *Mémoires d'Outre Tombe*, et en 1913 d'*A la Recherche du temps perdu*. On mesure l'immense chemin parcouru, depuis Chateaubriand qui écrit l'histoire de son demi-siècle, de la Révolution au romantisme, jusqu'à Marcel Proust qui inaugure, avant Joyce, Musil ou Faulkner, la modernité romanesque. L'histoire littéraire d'une période aussi foisonnante ne peut s'écrire en quelques lignes : elle est toute traversée de courants et de contre-courants, d'écoles et de ruptures, de révoltes solitaires mais aussi de liens nouveaux entre la littérature et la presse, la vie sociale, l'histoire.

Il ne faut pas se restreindre à la France, si l'on veut comprendre ce qui se faille et ce qui s'élabore en cette deuxième moitié du XIXe siècle, et que nous appelons aujourd'hui la modernité. L'espace de cette naissance est européen ; l'essentiel se joue à Londres, à Vienne ou à Prague, par exemple, autant qu'à Paris. Ce qui n'empêche pas nos perspectives de se dessiner, naturellement, à partir des écrivains français.

Nous voyons un chemin conduire, après coup, de Baudelaire à Rimbaud qui écrit, dans *Le Bateau ivre* : « Je regrette l'Europe aux anciens parapets ! », ou de Mallarmé jusqu'à Apollinaire, qui commence *Zone*, le premier poème d'*Alcools*, recueil publié en 1913, par ces mots : « A la fin tu es las de ce monde ancien », manifeste poétique en même temps qu'exigence d'une vie nouvelle, dont on sait pourtant qu'elle vient se briser dans une guerre interminable et sanglante.

Si l'on veut tenter de caractériser la littérature des années 1848-1914, on peut sans risque affirmer qu'elle est marquée au coin du pessimisme. L'exemple du roman est frappant : Flaubert liquide avec amertume toute illusion romantique ; Hugo disloque la tradition narrative classique, laissée intacte par Stendhal et Balzac, et pourchasse le conformisme jusqu'à l'angoisse ; en fait de *Germinal*, Zola écrit un roman-catastrophe, malgré sa foi dans le travail et le progrès social ; Huysmans convertit son naturalisme en esthétisme décadent, pour se réfugier finalement dans le mysticisme. Proust enfin vient faire le bilan grandiose d'une société dont il voit les pans s'effondrer lentement, ruines pathétiques qui se dressent à l'aurore de notre siècle. Or, jamais le roman français ne s'est mieux porté qu'entre 1830 et 1914, comme si le pressentiment d'une Histoire nouvelle, en gestation, lui donnait des forces éclatantes : face à une société problématique, l'insatisfaction et l'inquiétude se révèlent créatrices.

Une des nouveautés de cette deuxième moitié du XIXᵉ siècle est l'intensité et la complexité des rapports qui se tissent entre l'art et la littérature — sans oublier que le développement de la presse, du livre, et plus tard du cinéma, nous permet de mieux en conserver les traces. De grands écrivains dessinent, de grands peintres écrivent : Victor Hugo, poète, est un des plus grands dessinateurs de son siècle ; Fromentin est à la fois écrivain et peintre ; Gautier ou Baudelaire ne négligent pas de dessiner ; et nous lisons aujourd'hui le *Journal* de Delacroix, ou les écrits de Gauguin ou de Van Gogh, avec un intérêt qui tient à leur valeur littéraire autant qu'à leur nature de documents.

D'autre part, dans la tradition de Diderot, puis de Stendhal, des écrivains comme Baudelaire, Mirbeau, Zola ou Mallarmé se font critiques d'art, publiant souvent leurs comptes rendus de Salons ou leurs articles aux côtés de journalistes et de critiques de métier dans des revues comme *L'Artiste* ou *La Revue Blanche*, auxquelles collaborent également peintres et graveurs. Des mouvements comme le romantisme, le réalisme ou le symbolisme concernent les uns et les autres. Les rapports peuvent être fertiles : qu'on songe à la passion de Baudelaire pour Delacroix et pour Wagner, par exemple, et à ses effets immédiats sur la création baudelairienne ; ou à l'étonnante cohérence et à la brièveté de la crise symboliste, qui associe l'ensemble des arts dans une unité jusqu'alors inconnue.

Enfin l'art devient un sujet littéraire privilégié. Les romans se peuplent de tableaux ; Gustave Moreau hante *A Rebours*, de Huysmans, et l'ombre de Cézanne, *L'Œuvre* de Zola. Sans parler de *La Recherche* de Proust, où Elstir, Vinteuil ou la Berma sont l'apothéose et la synthèse des peintres, musiciens et artistes du tournant du siècle.

La littérature a donc sa place au Musée d'Orsay, où elle viendra croiser l'art et l'histoire sous forme de débats, de lectures, et même, paradoxalement — car les murs sont mieux faits pour accueillir des tableaux que des textes — d'expositions. Mais le paradoxe n'est pas si grand : qu'on se réfère au *Grand Dictionnaire Universel du XIXe* siècle, de Pierre Larousse, qui donne cette définition étonnante du *Musée* : «-Figuré. Collection, recueil destiné à l'étude. Un dictionnaire, avec ses nombreux exemples, est un *Musée*».

Hugo déjà avait comparé les cathédrales de papier aux cathédrales de pierre : «monumenta», ce qui reste.

297. E. Manet: Stéphane Mallarmé *(1842-1898) poète, 1876.*
Acquis en 1928 avec le concours de la Société des Amis du Louvre et de D. David-Weill.

Table

Crédits
photographiques

Réunion des musées nationaux (D. Arnaudet, G. Blot, C. Jean,
    J.-P. Lagiewski et J. Schormans)
et Musée d'Orsay (Jim Purcell)
à l'exception des illustrations suivantes :
Bibliothèque nationale (N°s 195, 196, 198, 199)
Cliché musée de Roubaix (N° 215)
Cinémathèque française (N° 295)
Lyon, coll. Institut Lumière (N° 294)

*Cet ouvrage
a été achevé d'imprimer
le 7 novembre 1986
sur les presses
de l'Imprimerie Moderne du Lion
à Paris
et d'après les maquettes
de Massin.*

*Le texte a été composé en Walbaum
par L'Union Linotypiste,
le papier fabriqué
par les Papeteries Job,
les illustrations gravées
par la Nouvelle Société
de Réalisations Graphiques.*

Dépôt légal: novembre 1986
I.S.B.N.: 2-7118-2.049-1
8162.052
© SPADEM Paris, 1986
© ADAGP Paris, 1986